팟캐스터

s

팟캐스터

나는 내 팟캐스트가 제일 재밌다

영혼의 노숙자·세상엔 좋은 책이 너무나 많다 그래서 힘들다…
어느 남녀의 책읽기·잘 팔리는 문학회 지음

arte

발문

말의 재미

김하나
(카피라이터 · 작가. 팟캐스트 '책읽아웃' 진행자)

나는 사실 팟캐스트를 그리 즐겨 듣는 편은 아니다. 어쩌다 도서 팟캐스트를 진행하게 되었고 그것이 내 삶에서 큰 부분을 차지하게 되었지만 팟캐스트의 세계에 대해선 잘 안다고 할 수 없다. 그러니 나는 그저 내 이야기를 하는 수밖에 없겠다.

세 번째 책 『힘 빼기의 기술』을 내고 나서 유독 말할 기회가 많이 생겼다. 북토크도 많았고 '세상을 바꾸는 시간 15분-세바시'에 나가기도 했고 팟캐스트와 방송에도 몇 번 출연했다. 이곳저곳에 말하는 게 노출되자 점점 더 말할 기회가 늘어났다. 그러던 중 '예스24'에서 새로 시작하는 도서 팟캐스트의 진행을 맡아달라는 섭외를 받았다. 처음엔 망설였다. 나는 이미 10년 넘게 프리랜서로 생활하고 있었고 장기 여행도 곧잘 떠나는 편이라 2주에 한 번 고정 스케줄이 생기는 것은 좀 부담스러웠다. 그러다 고민 끝에 해보기로 했다. 팟캐스트는 방송에 비해 더 새롭고 캐주얼한 영역이었고, 또 일방적으로 송출하는 방송보다 관심이 생기면 찾아 듣는 구독 방식이 내 성향에 더 잘 맞는 것 같았다. 결과적으로 이 선택이 내 직업 인생에 커다란 변화를 가져왔다.

이전까지 내가 하는 일은 쓰는 일이었다. 카피라이터와 작가로 살아왔으니. 그런데 이제 나는 말하는 사람으로 더 많이 알려지게 되었다. 팟캐스트를 시작한 뒤로 라디오에도 고정 출연하고 있고 메일함에는 강연이나 진행 등 말하는 자리 섭외가 원고 의뢰보다 훨씬 더 많이 들어온다. 얼마 전 동네 술집에선 내 뒷자리에 앉아 있던 분이 얼굴이 아닌 목소리로 나를 알아보고는 인사를 건네 왔다. 우리 팟캐스트의 팬이라며. 요즘은 어딜 가나 '잘 듣고 있어요'라는 인사를 듣는다. 그리고 팟캐스트의 특성상 '내적 친밀감'이 많이 쌓이기 때문에 청취자를 만나면 독자를 만날 때보다 훨씬 더 나를 친근하게 대하는 게 느껴진다. 나는 팟캐스트를 맡고부터 과한 애정을 받고 있는 느낌이다. 참 고마운 일이다.

내가 맡고 있는 '책읽아웃-김하나의 측면돌파'는 저자 인터뷰가 큰 부분을 차지한다. 많은 작가와 저자를 만났고 그들로부터 유익하고 재미있는 수많은 이야기들을 들었다. 팟캐스트 하기를 참 잘했구나 싶다. 특히 내가 참 좋아하는 부분은 내게 '질문할 권리'가 주어져 있다는 점이다. 사석에서 작가를 만난다면 일방적으로 이런저런 사항들을 꼬치꼬치 물어볼 수는 없는 노릇이다. 그러나 팟캐스트에서 나는 궁금한 점에 대해 마음껏 질문을 퍼부을 수 있다. 글쓰기 스킬부터 책의 어느 대목에 대한 자세한 설명까지, 내가 원하는 것을 얼마든지 물어볼 수 있는 데다가 그에 대한 멋진 답들을 음성 파일로 아카이빙까지 해주니 내 팟캐스트는 일단 나의 맞춤형 인생 교재라고 하겠다. 게다가 나의 배움과 깨달음의 순간들을 미지의 청취자들과 함께 나눌 수도 있다니 얼마나 근사한가. 조금은 주객전도인 것 같지만 나는 정말로 나를 위해 팟캐스트를 진행한다. '청취자들이 이런 걸 듣고 싶어 하겠지?'는 내게 그리 중요하지 않다. 나는 내가 궁금한 것들을 묻고, 내가 좀 더 파헤치고 싶은 부분에 대해 이야기한다. 그리고 궁금한 것들을 많이 만들기 위해 섭외된 작가의 신간 외에 다른 책들도 최대한 많이, 꼼꼼히 읽어본다. 모르는 사람에게는 관심도 생기지 않듯이, 알면 알수록 궁금한 것들은 더 많아지게 마련이다. 2주 전부터 준비해서 팟캐스트를 녹음하는 날쯤이면 내겐 질문거리와 이야깃거리가 잔뜩 쌓인다. 그러므로 영혼 없이 작가가 써준 질문지를 읽는 일 따위는 결코 없다. 내가 정말로 궁금한 것들을 이야기할 시간도 부족하기 때문이다. 그렇기 때문에 좋은 대화가 나오게 된다고 생각한다.

김하나

팟캐스트를 시작하기 전, 나는 두 가지 대원칙을 세웠다. 첫째, '정확하고 아름답고 재치 있는 우리말을 쓸 것'. 둘째, '양질의 대화를 추구할 것'. 청취율을 높이거나 책을 자세히 소개하는 것은 내 목표가 아니었다.

그리고 진행자로서 내 맘속의 롤모델은 뜬금없게도 재즈 기타리스트 짐 홀Jim Hall이었다. 나는 짐 홀의 연주를 무척 좋아한다. 밀도 높으면서도 내면을 들여다보는 듯한 연주를 하는 그는 어떤 뮤지션과 협연을 해도 기가 막히게 제 역할을 해낸다. 그는 절대로 자기의 에고를 내세우지 않고 상대 뮤지션이 가진 것을 잘 드러낼 수 있도록 배려하고 맞추며 근사한 협연을 만들어낸다. 나는 우리 팟캐스트에서 저자와 내가 이중주를 한다고 상상한다. 그리고 내 역할은 짐 홀이다. 누가 출연하더라도 나는 그가 자신의 이야기를 잘 꺼내놓을 수 있도록 적재적소에 추임새를 넣고 적절한 질문을 던지며 좋은 대화가 이루어지게끔 하고 싶다. 그러기 위해 내가 가장 집중하는 부분은 '듣기'다. 사람들은 내가 팟캐스트를 진행한다고 하면 '말하기'를 한다고 생각한다. 하지만 사실 내가 열심히 하는 것은 '듣기'다. 듣기가 80이고 말하기가 20이다. 잘 들어야 정확히 말할 수 있다.

앞서 저자와의 인터뷰를 이중주처럼 생각한다고 밝혔는데, 실제로 나는 음향으로서의 팟캐스트의 역할을 아주 중요하게 여긴다. 이야기의 내용도 중요하겠지만 말소리의 매력을 높이는 데도 신경을 많이 쓴다. 일단 듣기 좋아야 할 것 아닌가. 말하는 속도, 발음, 음정을 조절하고 깨끗한 말소리를 내기 위해 노력한다. 나는 '연주자'니까.

또한 포즈pause를 잘 사용하려고 한다. 적절히 쉼표를 배치하지 않으면 이야기의 집중도가 떨어지고 리듬이 잘 생겨나지 않는다. 이렇게 '듣기 좋은' 팟캐스트를 만들려고 노력했기 때문인지, 육아를 하는 분들이나 혼자 작업하는 일러스트레이터 같은 분들이 '소리가 편안하

다', '거슬리는 부분이 없어서 작업할 때 좋다', '계속 듣
게 된다' 같은 칭찬을 해주신다. 또 특히 기분 좋았던 것
은 외국에 계신 분들이 모국어로 두런두런 대화 나누는
걸 그저 듣고 싶어서 틀어놓고 생활하신다는 얘기를 들
었을 때였다. 출퇴근길이 즐거워졌다는 얘기도 참 뿌듯
했다. 어떤 분은 길에서 우리 팟캐스트를 듣다가 미친
사람처럼 자꾸 혼자 웃게 돼서 마스크를 써야 한다는 말
씀도 하셨다. 청취율을 높이겠다는 목표를 세운 적 없었
지만 1년 정도 지나니 편당 청취 횟수가 무시 못 할 정
도로 많아졌고 아주 높은 순위까지 오르게 되었다.

　　당연히 늘 좋기만 한 건 아니다. 집중해서 몇 시간씩
녹음을 하고 나면 녹초가 될 때가 많다. 한번은 무례한
저자 때문에 스트레스를 심하게 받아 집에 가서 쓰러져
누워 몇 시간을 멍하니 보내기도 했다. 테이블 위에 쌓
아둔 그 작가의 책을 보는 것조차 싫어 내다 버렸다. 물
론 그 팟캐스트도 다른 편과 다름없이 유쾌하게 대응하
려고 무척 노력했기에 청취자가 그런 사연을 짐작하기

는 어려울 것이다. '이런 게 바로 사회생활이구나' 하는 생각을 하며 어둑한 방에 누워 있던 게 생각난다.

하지만 그것은 극히 드문 경우고 대부분은 대화 자체가 진심으로 즐겁고 웃음이 끊이지 않는다. 전혀 예상치 못한 깨달음을 얻을 때도 많다. 팟캐스트를 하면서 누구보다 내가 가장 많은 것을 얻어가는 듯하다. 출연료도 받아가면서 말이다! 하하하. 이 지면을 빌려 우리 팟캐스트 팀에게 정말 고맙다는 인사를 전하고 싶다.

팟캐스트는 뭐니 뭐니 해도 말의 재미를 새삼 느끼게 해준다. 팟캐스트에서의 말하기는 우리 대부분의 실제 말하기와 닮은 것 같다. 라디오는 디제이가 특유의 진행 어투를 장착하게 되는 경우가 많다. 또 음악과 광고 때문에 이야기는 자꾸만 끊긴다. 팟캐스트는 한 주제에 대해 끊김 없이 깊이 있게 이야기를 이어나갈 수 있다는 점이 참 매력적이다. 말하기를 전문으로 하는 사람들인 성우나 아나운서의 목소리는 또 너무 본격 교육을 받은 사람들 특유의 말하기 방식 때문에 거리감이 느껴지고 딱딱하게 들린다. 반면에 팟캐스트에서는 자연스러운 말하기가 살아 있어 더 친근하다. 이전에도 말하기 자체를 엔터테인먼트로 적극 받아들이는 형식은 있었다. 토크쇼가 그렇다. 토크쇼는 이름부터가 그렇듯 '쇼'를 구성해야 한다는 점 때문에 제약이 생긴다. 자연스러운 대화와 말의 재미는 팟캐스트의 시대에 와서야 비로소 모두가 발견하게 된 것 같다. 편안한 수다는 항상 재미있지만, 이제는 그 수다의 재미를 모두와 공유할 수도 있게 되었다. 재미있는 세상이다.

나는 팟캐스터다. 20년 전만 하더라도 이런 직업은 세상에 존재하지 않았다. 내가 처음 카피라이터로 사회생활을 시작한 게 20년쯤 전이었다. 나는 이제 2년차가 된 나의 새 직업이 무척 마음에 든다. 마흔둘에 말하는 일을 시작하게 될 줄 누가 알았을까. 팟캐스트의 정말 멋진 점은 누구나 마음만 먹으면 시작할 수 있다는 점이다. 꼭 청취율을 높이고 이름이 나지 않더라도, 각자의

이야기를 편안한 목소리로 꺼내놓을 수 있고 또 그것에
공명할 누군가에게 가닿을 수도 있다는 그 가능성이야
말로 이 새로운 세계의 아름다운 지점이다. 여기, 이야
기를 하기 시작한 사람들의 이야기가 있다.

차례

이토록 멋진 활자의 세계를 소리로 기록한다는 것
·
어느 남녀의 책읽기

문학은 안 팔리지만 우리는
·
잘 팔리는 문학회

마이너 스타 이즈 본

·

영혼의 노숙자

영혼의 노숙자

팟캐스트
프로필

팟캐스트 영혼의 노숙자

팟캐스터 셀럽 맷

업데이트 매주 일요일

키워드 코미디, 페미니즘, 여성, 이슈, 토크, 독일, 책, 음악, 영화, 드라마

트위터·인스타그램 @homeless_matt

영혼의 집을 잃고 헤메이는 방랑자들의 마음을 헤아려주는 본격 위로 방송. '셀럽 맷'이 진행하는 코미디 팟캐스트입니다. "누가 날 키워줄 거죠?"라는 클로징 멘트처럼 게스트들 그리고 청취자가 불편하지 않은 웃음, 따뜻하고 유익한 방송을 만들며 함께 성장해갑니다.

"늘 빵 터지는 하이텐션 셀럽 맷님!
매주 일요일만 기다립니다!"

P**

"배회하는 영혼을 가진 1인이에요.
영노자 들으면서 소소하게 웃기도 하고
공감도 하고 안정도 찾고 있습니다."

정**

영혼의 집을 잃은
이들을 위한 팟캐스트
영혼의 노숙자

'영혼의 노숙자'는 8년간의 독일 생활을 정리하고 돌
아와 혼자서 시작한 팟캐스트다. 코미디 팟캐스트답지
않게 제목이 이렇게 된 데에는 사연이 있다. 대학에서 독
어독문학을 전공하고 딱히 취직에 뜻이 없던 나는 (딱히
유학에 뜻이 있어서가 아니고) 졸업 후 바로 독일로 가 8
년을 지냈다. 그전까지 부모님의 보호 아래 무엇 하나 혼
자 해본 적이 없었던 내가 뭐든 혼자서, 그것도 외국에서
해내야만 하는 처지가 되었으니 하나부터 열까지 쉬운
일이 없었다. 당장 방세를 내야 하는데 아르바이트 일이

뚝 끊겨 "딱 2년만 지원받고 그 후엔 알아서 벌어 살겠다"며 부모님 앞에서 호언장담했던 과거의 자신이 원망스러웠을 때나, 독일인 남자친구에게 잠수 이별을 당했는데 짧은 독일어로 따지는 꼴이 우스꽝스러울까 봐 눈물을 삼키며 돌아섰을 때, "집에 가고 싶다……"는 말이 나도 모르게 새어나왔다. 따뜻한 엄마 품이 기다리고 있는 집. 아, 집에 있었다면 내가 이런 일을 안 겪어도 됐을 텐데.

첫 목표였던 대학원 졸업을 달성하고 나니 언제까지나 이곳에서 이방인으로 살 수는 없겠다는 생각이 들었다. 그즈음 나의 소울메이트인 드라마퀸과 함께 시작한 팟캐스트 '독일언니들'이 예상보다 큰 인기를 얻었고, 나는 스탠드업 코미디언이 되겠다는 말도 안 되는 꿈을 안고 귀국행 비행기에 올랐다. 불투명한 미래에 발을 내디디면서도 불안하지만은 않았던 건 그렇게 그리던 가족이 있는 '집'에 간다는 생각 때문이었다. 하지만 사랑하는 가족들과 함께한다는 행복도 잠시, 서른이 넘어 한국

마이너 스타 이즈 본

사회에 적응하는 것은 생각보다 만만찮은 일이었다. 어느새 독일식 사고방식에 익숙해져버린 나는 직장에서 사사건건 상사들과 부딪치기 일쑤였고 한국에 돌아온 것이 정말 옳은 결정이었는지 반문하며 우울한 날들을 보냈다. 그러던 어느 날 집에서 샤워를 하는데 나도 모르게 입에서 이 말이 다시 흘러나왔다. "집에 가고 싶다 ...." 이럴 수가! 여기가 집인 줄 알고 왔는데 아니었단 말인가. 그렇다. 나는 영혼의 집을 잃은 영혼의 노숙자가 된 것이다. 이 각박한 한국사회에서 갈 곳 잃은 영혼이 나 혼자는 아닐 터. 서로를 웃음으로 위로할 팟캐스트가 필요하다. 그렇게 해서 시작한 것이 바로 '영혼의 노숙자'다.

'독일언니들'이 독일에 사는 두 명의 외국인 노동자가 들려주는 독일 이야기......를 가장한 본격 코미디 방송이었다면, '영혼의 노숙자'에서는 평소 흥미롭게 생각하는 주제들을 때로는 가볍게 때로는 자못 진지하게 다룬다. '독일언니들'이 물론 최고의 코미디 팟캐스트이긴 하지만(죄송합니다. 저는 자기애가 충만한 사람이라) 한편으로는 다분히 마니악한 방송이라고 생각했기 때문에 '영혼의 노숙자'는 좀 더 대중성 있게 다양한 주제와 사람들로 꾸려나가고 싶었다. 그리고 무엇보다 청취자의 90퍼센트 이상이 여성인 만큼 여성들이 공감하고 마음 편하게 웃을 수 있는 방송을 만드는 것이 중요했다. 함께할 파트너를 찾던 중 다큐멘터리 영화 〈피의 연대기〉를 연출한 김보람 감독님을 고정 패널로 모시게 되면서 '영혼의 노숙자'는 틀을 갖추게 되었다. 김보람 감독님은 '보고 또 보고'라는 코너를 맡아 주체적인 여성 캐릭터가 등장하는 드라마나 영화, 다큐멘터리를 소개해주셨다.

고정 코너에서 여성 캐릭터들을 다루다 보니 자연스럽게 여성을 주제로 한 이야기들을 나누게 되었다. 특히 섹스 칼럼니스트 현정 님과 함께 여성의 자위에 대해서 이야기한 '간다 간다 뽕간다' 편과 여성의 노화에 대해 다룬 '여성과 노화' 편은 정말 좋아하는 에피소드들이

마이너 스타 이즈 본

다. 그동안 자기 혼자만 자위하는 줄 알았을 여성 청취자들을 향한 대담한 자밍아웃(?)과, 삼십 대 여성이 느끼는 노화에 대한 두려움 등 솔직한 이야기에 많은 청취자들이 공감해주었다. 여성이 성에 대해 얘기하는 게 터부시되는 한국에서 여자들이 솔직하고 유쾌하게 성에 관한 이야기를 하는 시도는 꼭 필요하다고 생각한다. 한국사이버성폭력대응센터에 있는 분들과 함께한 '난 너의 야동이 아니야' 편도 기억에 남는다. 엄연한 범죄인 불법 촬영물, 일명 '몰카'가 국산 포르노로 둔갑돼 수많은 여성 피해자들을 양산하고 있는 현실을 다룬 이 방송에 많은 청취자들이 분노와 공감을 표현하며 지지를 보내주었다.

이쯤 되면 감이 오실 것이다. 그렇다. '영혼의 노숙자'는 페미니즘 방송이다. 분명 아까는 대중적인 팟캐스트를 지향하지 않았냐고? 그때는 몰랐다. 페미니즘이 '대중적'이지 않다는 걸. 그리고 그걸 깨달았을 때에는 이미 너무 멀리 와 있었다. '독일언니들'과는 또 다른 의미로 마니악한 방송이 되어버린 것이다.

물론 페미니즘 관련 내용들만 다루는 것은 아니다. 작가, 뮤지션, 기자 등 다양한 게스트와 책과 음악 이야기를 비롯해 여러 가지 주제로 수다를 떠는가 하면, 가까운 지인들인 친오빠 소쿠리 준이나 절친 총장딸, 유니콘, 뿌수미와는 가족이나 추억, 취미, 일상 이야기 등 누구나 가볍게 들을 수 있는 에피소드를 만들고 있다. 또한 청취자들에게 더 가까이 다가가기 위한 시도로 청취자 게스트도 모신다. 첫 번째 청취자 게스트였던 직남 님은 남성을 위한 페미니즘 책인 토니 포터의 『맨박스』를 주제로 들고 왔고, 비혼주의 청취자 게스트를 모신다는 공지에 다짜고짜 자신을 '무성애자'라고 밝히며 사연을 보내온 랖 님과는 '파워 유성애자 vs 파워 무성애자' 편을 진행했다. 깜빡했다. 마니악한 방송을 듣는 청취자들은 필연적으로 마니악할 수밖에 없다는 걸 말이다. 하지만 그것도 나쁘지 않다. '영혼의 노숙자'는 아이튠즈 팟캐스트 코미디 부문에서 꾸준히 10위권을 유지하고 있고 전체 순위에서도 100위권 안에 있으니 이 정도

면 충분히 대중적인 마니악함 아닌가. (우리 청취자들 최
고!)

　28화를 마지막으로 김보람 감독님이 다음 작품 준비
를 위해 하차하면서 영노자에 또 한 번의 변화가 불가피
해졌다. 매주 혼자서 이끌어나가야 하는 점은 부담이지
만 앞으로 더 다양한 분야의 게스트들을 모시고 더 마니
악하고 더 흥미진진한 방송을 만들어갈 생각이다. 영혼
의 집을 잃고 헤매는 방랑자들이여, 혐오와 비하가 난무
한 TV 예능 프로그램에 편히 웃지 못하는 이들이여, 팟
캐스트 '영혼의 노숙자'로 오라! 마음 편히 웃을 수 있
는 코미디가 기다리고 있다.

드디어 하고 싶은
일이 생겼어

부모님과 약속한 2년 하고도 6개월이 더 지나서야 나는 독일에서 경제적으로 독립할 수 있었다. 독립이라고 하니 거창하게 느껴지지만 처음 몇 년간은 그저 하루하루 살아낼 뿐이었다. 가장 처음 했던 아르바이트는 호텔 청소였는데, 한 대학 선배가 영국 어학연수 1년 동안 호텔 청소 아르바이트를 하며 천만 원을 모아 부모님께 돌려드렸다는 미담을 전해 들었기 때문이다. 호텔 청소로 천만 원이나 벌 수 있다고? 그 순간 내 머릿속에서는 궂은일을 마다하지 않고 열심히 아르바이트를 뛰며 학업

마이너 스타 이즈 본

까지 훌륭하게 해낸 멋진 유학생(나)의 모습이 그려졌다. 지금 생각하면 코웃음만 나오는 허세 뒤섞인 발상일 뿐이지만 당시에는 안타깝게도 내가 만들어낸 이 이상한 신데렐라 성공담에 금세 도취되고 말았다. 물론 신데렐라에게는 높은 교육열로 대출까지 받아 딸내미를 유학 보낸 엄마가 없었지만 말이다.

그렇게 시작한 호텔 청소 아르바이트는 천만 원은커녕 간신히 집세를 낼 정도의 돈만 쥐여주었고, 새벽에 나가 일을 하느라 수업에도 집중하기 힘들었다. 결국 6개월 만에 호텔 청소를 그만두고 일주일에 두 번 정도 가사도우미로 일하게 되었는데, 보수도 두 배 이상이고 틈틈이 편히 쉴 수 있어서 훨씬 좋았다. 그렇게 한 3년 정도 일하고 나니 허리 통증이 심해져 슬슬 청소 일은 그만둬야겠다고 생각하던 차에 운 좋게도 이따금씩 비정기적으로 일했던 회사에서 정기적인 일을 제안해왔다. 그렇게 드디어 육체노동에서 벗어나 사무실에 앉아 일하며 벌어먹고 지낼 수 있게 되었다.

유학 갔다더니 왜 아르바이트 얘기만 하나 싶을지도 모르겠지만, 그때의 나는 공부보다 하루하루 먹고사는 게 더 중요했다. 핑계처럼 들릴 수도 있지만 한 달 벌어 한 달 생활해야 하는 상황 속에서 공부에 집중하기란 쉽지 않았다. 게다가 앞서 말했듯 대단한 목표를 가지고 간 유학도 아니었고, 그다지 하고 싶은 게 없었던 와중에 딸을 교수 만들고 싶었던 엄마의 꿈에 편승해 (그리고 엄마의 돈을 갈취해) 외국에 나왔을 뿐이었다. 하고 싶은 건 없었지만 하루하루 살아내기 위해 해야 할 것들과 할 수 있는 일들만이 내 앞에 놓여 있었다.

먹고살아야 하니 일을 해야 했고 유학을 왔으니까 졸업을 해야 했다. 그런데 졸업이라는 마음의 짐을 해치우고 나면 후련해질 줄 알았건만 그다음으로는 앞으로 뭘 할 것인가 하는 문제가 뒤따랐다. 그 무게감은 졸업과는 비교조차 되지 않았다. 일단은 체류 허가가 필요하니 그동안 그냥 생계형으로 하던 일을 계속하면서 노동 비자를 받은 다음 앞으로 무슨 일을 할 수 있을지 고민했다. 하지만 문과 계열을 졸업한 데다 외국인이기까지 한 내

가 독일의 취업 시장에서 유리한 조건을 갖췄을 리 만무
했다. 여기저기 잡포털을 아무리 뒤져봐도 경영이나 이
공계 졸업자들을 찾는 구인 공고가 대부분이었다. 그리
고 만에 하나 괜찮은 조건의 일자리를 찾는다 하더라도
과연 만족할 수 있을지 의문이 들었다. 돈이 문제가 아
니었다. 나 스스로 주체적으로 일을 할 수 있을지가 문
제였다. 나는 독일에서 일을 하기에 '충분한' 독일어 실
력을 갖췄지만 결코 '완벽'하지는 않았다. 별다른 기술
도 없는 내가 가진 거라곤 언어뿐인데 이마저도 완벽하
지 못하다니. 내 독일어 실력이나 수준은 어디까지나 독
일인에 의해서만 알 수 있는 것이고 나 스스로는 백 퍼
센트 확신을 가질 수 없다는 것. 이것은 꽤나 큰 좌절감
으로 다가왔다. 졸업논문의 교정을 맡겼을 때도 그랬다.
교정 내용의 대부분은 '학술적으로 더 나은 표현으로 고
쳤음'이었는데, 적어도 '의미 불명'이나 '이해 불가'라는
코멘트는 없다는 게 다행이라고 여기면서도, 마음 한켠
에서는 '아, 내가 계속 독일에 살게 된다면 늘 이렇게 누
군가에게 기댈 수밖에 없겠구나'라는 씁쓸함을 지울 수

가 없었다.

　그렇게 하고 싶은 것도 없고 할 수 있는 게 뭔지도 모르는 나날들을 보내다가 우연히 팟캐스트를 접하게 되었고, 너무나 좋아하고 존경하는 코미디언인 송은이 씨와 김숙 씨가 진행하는 '비밀보장'을 알게 되었다. 이렇게나 재밌는 게 있었다니! 갑자기 새로운 세계가 열린 것 같았다. 나는 곧장 드라마퀸에게 빨리 들어보라며 영업을 했다. 코미디를 좋아하는 우리는 '비밀보장'의 매력에 푹 빠졌다. 새 에피소드가 올라오기만을 기다리며 지루한 독일 생활을 버텨나가던 어느 날, 자연스레 우리도 코미디 팟캐스트를 해보면 어떨까 하는 얘기가 나왔다. 대학 때는 개그동아리의 에이스였으며, 한때 일본에 가서 코미디언이 되겠다는 꿈을 품기도 했던 우리는 어디서나 인정받는 개그 콤비였다. 그래, 못 할 게 뭐람? 잘되면 좋고 잘 안 돼도 우리한테는 추억으로 남을 테니 밑질 게 없는 시도였다. 무엇보다도 그동안 이방인으로 살면서 억눌러온 우리의 끼를 맘껏 펼칠 수 있다고 생각하니 상상만 해도 설레고 신이 났다.

　　　　　　　　마이너 스타 이즈 본

그렇게 우리는 설렘 반 기대 반으로 팟캐스트 '독일언니들'을 시작했다. 백 명은 들어줄까 싶던 우려와는 달리 '독일언니들'은 점점 인기를 얻어 금세 코미디 카테고리 상위권에 올랐다. 쭈구리 외노자들의 방송이 유명 코미디언들의 방송과 어깨를 나란히 하게 되다니! 정말 상상도 못했던 일이었다. 많은 사람들이 우리 방송을 들으면서 웃고 공감하고 위안을 받는다는 것이 너무나 큰 감동으로 다가왔다. 나는 드디어 있을 곳을 찾은 느낌이었다.

타지 생활에서 가장 견디기 힘들었던 것은 내가 그곳에 속해 있지 않고, 있을 곳을 찾을 수 없다는 사실이었다. 아주 작아도 상관없고 누군가에겐 별 볼 일 없어 보여도 상관없었다. 난 끊임없이 나를 알아줄, 나만을 위한 자리를 찾고 싶었다. 그리고 우연히도 그곳을 찾아냈다. 가슴이 뛰었다. 드디어 나에게도 하고 싶은 일이 생겼다.

하고 싶은 일이 생기니 단조로웠던 일상이 갑자기 활기를 띠었다. 살아 있다는 느낌이 들었다. 어떻게 하면 사람들을 즐겁게 할 수 있을까? 이번 화에서는 무슨 얘기를 하지? 하루 종일 이런저런 아이디어들이 머릿속에서 끊이지 않고 튀어나왔다. 이런 걸 천직이라고 하는 건가? 잘하면 스탠드업 코미디도 할 수 있겠는걸? 속으로만 생각하면 미루다가 유야무야될지도 모르니까 대놓고 이야기해야겠다. "여러분! 저 한국에 돌아가서 스탠드업 코미디 할 거예요!"

그리고 놀랍게도 어느새 나는 진짜로 스탠드업 코미디쇼 무대 위에 서 있었다. 비록 아직은 무대 경험이 얼마 없어 스탠드업 코미디언이라고 소개하기도 부끄럽고, 주 1회 팟캐스트만으로도 벅차 허우적대고는 있지만. 어찌 됐든 나는 모두가 반신반의하던 그 꿈을 향해 첫걸음을 내디뎠다.

셀럽 맷 연대기
― 독일언니들부터 영노자까지

어느덧 팟캐스트를 시작한 지 2년이 지났다. 한 방송을 쭉 이어왔다면 좋았겠지만, 귀국으로 인해 졸지에 방송 두 개가 되었다. 파트너가 달라지고 여러 게스트들도 거쳐가면서 자연스레 많은 변화가 있었다. 대략 시기를 나누자면 '독일언니들'이 팟캐스트 1기, 김보람 감독님과 함께하던 시절의 '영혼의 노숙자'가 2기, 그리고 매주 새로운 게스트들과 함께하고 있는 지금은 3기라고 볼 수 있을 것 같다.

마이너 스타 이즈 본

1. 독일언니들

독일에서 드라마퀸과 함께했던 '독일언니들'은 정말 편하고 즐겁게 방송했다. 격주 업데이트라 부담이 덜하기도 했고, 마치 친구랑 만나서 수다 떠는 느낌이라 마냥 재밌었다. 사실 처음에는 둘 다 방송 경험도 없고 콘셉트부터 편집, 배경음악 등 어떻게 해야 될지 모르는 것투성이라 꽤 오랜 기간 시작할 엄두를 내지 못했다. '송은이&김숙 비밀보장'에서 영감을 얻어 시작하기로 했지만 우리가 그런 베테랑도 아닐뿐더러 인지도가 없으니 청취자 사연 코너 같은 것을 하기도 애매했다. 그렇다고 우리끼리 한 시간 내내 빵빵 터뜨리자니 그것도 힘들 거 같고…… 우리가 가진 장점을 최대한 살려야 했다.

일단 가장 큰 차별점은 모두가 '헬조선 탈출'을 꿈꾸는 이 시대에 외국에서 살고 있다는 점이었다. 게다가 이민과 유학으로 독일에 대한 관심이 다시 높아지고 있었고, 독일 관련 팟캐스트를 찾아보니 어학 분야 팟캐스트만 한두 개 있는 정도였다. 그래서 이름을 '독일언니들'이라 정하고 독일에서 생활하면서 경험하고 느낀 것을 다루면서 그 밖의 잡다한 썰들을 풀어놓기로 했다. 이민이나 유학 정보는 다룰 생각이 없었지만 그래도 타이틀이 독일언니들이니 '독일스러운' 무언가가 필요할 것 같았다. 그래서 '독일어 한마디'라는 코너를 짜서 매회 주제에 맞춰 "Zu mir oder zu dir?(우리 집 갈까, 아니면 너희 집 갈래?)" 같은 참으로 실용적인 문장들을 하나씩 알려주기로 했다. 독일어는 영어나 일본어처럼 인기 있는 언어가 아니고 웬만해선 일상에서 쓸모가 없기에 그냥 재미로 만든 코너였는데, 의외로 저 표현을 독일 클럽에 가서 꼭 쓰고 싶다며 아직도 외우고 계시는 분들이 꽤 된다. 한번은 실제로 독일 클럽에서 이 말을 썼다는 감격에 찬 메일을 받고 웃음이 터지기도 했다. '생일 축하해' 같은 진짜로 실용적인 문장들도 있었건만 청취자분들 취향이 너무 확고하시다. 그리고 또 다른 코너인 '마이 붐'에서는 매주 돌아가면서 최근에 푹 빠져 있는 것이나 관심 있는 주제에 대해 이야기했

마이너 스타 이즈 본

다. 드라마퀸은 주로 예술과 관련된 주제를, 나는 시사적인 주제를 다뤘다.

방송에서 어떤 내용을 다루느냐도 물론 중요하지만 누구와 함께하느냐도 그에 못지않게 중요한 것 같다. 지식이나 교양을 쌓기 위해 팟캐스트를 듣는 사람들도 있지만 마치 친한 친구들의 수다를 엿듣는 기분으로 듣는 사람들도 많기 때문이다. 그래서 역설적으로 콘텐츠가 조금 허술하다 하더라도 진행자들 간의 케미가 좋으면 그 재미에 빠져들어 계속 듣게 되는 경우가 의외로 많다. 여기에 그 방송만의 유행어나 인사이드 조크가 생겨나게 되면 금상첨화. 이걸 주위 사람들과 공유하고 싶어서 친구들을 끌어들이고, 그러다 보면 마치 다단계처럼 구독자 수가 늘어나는 것이다. '독일언니들'은 그런 점에서 나와 드라마퀸의 케미가 큰 부분을 차지한 방송이다. 워낙 오랜 친구이다 보니 서로가 가진 장점이나 에피소드를 잘 이끌어냈고 그러는 와중에 유행어도 많이 생겨났다. "겁시나서, 임창정 씨처럼"이나 "느낌이 와가

지구~"가 그중 가장 사랑받은 유행어인데, 이걸 쓰고 싶어서 닥치는 대로 주변에 추천하고 다녔다는 사람들이 많았다. 우리와 같은 말투와 유행어를 사용하는 '팬'이 생길 줄이야.

또 좋았던 점은 재주 많은 드라마퀸이 방송 로고에서부터 음악, 편집까지 도맡아 해줬다는 거다. 그 대신에 나는 떡볶이나 탕수육을 해주면서 신나게 녹음만 하면 됐으니 지금 생각하면 너무나 좋은 시절이었다. 시즌2의 가능성을 남겨둔 채 '독일언니들'은 일단 막을 내렸지만 언젠가 시즌2를 할 수 있는 날이 오기를 기다리고 있다. 돌아오라, 드라마퀸!

2. 영혼의 노숙자 with 김보람 감독

김보람 감독님, 이하 보람이와는 영화 〈피의 연대기〉의 내레이션을 부탁받으면서 알게 되었다. 나는 첫눈에 보람이가 마음에 들었는데 신중하고 사려 깊은 성격에

마이너 스타 이즈 본

무엇보다 정말 배울 게 많은 친구였기 때문이다. 결국 영화에는 내 목소리가 들어가지 않았지만 이 만남을 계기로 〈피의 연대기〉 상영회 겸 나의 첫 스탠드업 코미디 무대였던 '생리 파티'라는 행사를 함께했다. 그리고 보람이는 영노자의 고정 패널로 출연하게 되었다. 아직 방향성이 모호하던 방송 초기에 보람이가 '보고 또 보고'라는 코너로 방송의 중심을 잡아준 덕분에 영노자가 지금까지 이어질 수 있었다.

또 이 시기는 나에게는 페미니즘 입문기라고도 할 수 있는데, '보고 또 보고'에서 다뤄지는 여성 관련 콘텐츠들을 통해서 페미니즘에 대해 많이 생각하고 배울 수 있었다. 페미니즘에 눈을 뜨고 나니 새로운 세상이 열림과 동시에 새로운 고민도 생겨났는데 바로 '피씨(Political Correctness, 정치적 올바름)한 코미디란 가능할까' 하는 것이다. 사실 '독일언니들' 때는 웃기는 것이 가장 중요했고 넘지 말아야 할 선을 지키는 것에 대해 크게 주의를 기울이거나 하지 않았기 때문에 이제 와 돌이켜보면 언피씨한 부분들이 꽤 있다. 그럼에도 불구하고 여성 청취자들의 호응을 얻었던 걸 보면 비하와 차별 일색인 방송보다는 그나마 나았던 모양이다. 영노자를 하면서는 '왜' 내 방송을 여성 청취자들이 선호하는지, 어떤 코미디를 지향해야 할지에 대해 다시 한번 진지하게 생각해보게 되었다. 코미디라는 게 워낙 외모 지적이나 상대방 비하, 자기 비하 같은 언피씨한 유머에 기대고 있는 부분이 크다 보니 누군가를 기분 상하게 하지 않으면서 웃음을 줄 수 있는 방법에 대해서 늘 고민하게 된다. '이걸 소재로 삼아도 괜찮을까? 재밌긴 하지만 이러이러한 비판을 받을 수 있을 것 같은데?' 하고 생각이 많아지면서 가끔은 도대체 뭘로 웃길 수 있을까 싶을 때도 있다. 아마도 이 부분은 내가 코미디를 하고 싶은 이상 피할 수 없는 과제가 될 거 같다.

대외적인 활동에 있어서는 여러 가지 새로운 기회가 많이 찾아왔다. 영화감독님을 고정 패널로 둔 덕에 영화 GV 행사에도 두 번이나 설 수 있었고, 여러 페미니즘 행사에 게스트로 참여하기도 했다. 그 밖에도 인터뷰나

책 제안이라든가, 스탠드업 코미디쇼 '래프라우더' 출연 제의를 받는 등, 함께 일하고 싶다며 손을 내미는 이들이 생겨났고, 기쁘면서도 신기한 날들이 지금까지 이어지고 있다.

또 가장 큰 변화 중 하나는 팟캐스트 광고를 통해 적으나마 수익을 낼 수 있게 되었다는 점이다. '독일언니들'은 격주 방송인 데다가 업데이트가 일정치 않아 광고 제안이 들어와도 진행에 어려움이 있었는데, 영노자는 매주 정기적으로 업데이트되고 있어서 광고를 진행하기가 수월해졌다. 비록 아직은 일정치 않고 미미한 수준이지만, 점차 방송이 더 알려지고 안정적인 수익으로 이어지기를 기대하고 있다.

3. 영혼의 노숙자 — 홀로서기

보람이가 방송에서 하차하고 매주 새로운 게스트를 섭외하게 되면서 팟캐스트를 하는 데 부담이 조금 커지긴 했다. 방송 준비부터 게스트 섭외, 편집까지 모두 혼자 하다 보니 '독일언니들' 시절이 행복한 기억으로 남아 있는 게 모두 드라마퀸 덕분이었다는 걸 깨달았다. 허나 함께할 파트너가 없다는 게 가끔은 외롭고 힘들기도 하지만, 매주 새로운 게스트들과 이야기를 나누는 시간이 즐겁기도 하다. 전에는 방송 처음부터 끝까지 '나야 나'를 외쳤다면 지금은 진행자로서 게스트의 이야기를 잘 이끌어내는 데 집중하고 있다. 게스트분들께 "다른 곳에서는 하지 않은 이야기를 오늘 많이 한 것 같아요"라는 말을 들을 때면 내 방송을 편안하게 느끼신 거 같아 마음이 뿌듯하다. 최근에는 서늘한여름밤 님이나 이랑 님, 요조 님, 슬릭 님, 신지예 님처럼 멋진 여성 게스트들을 모시는 행운이 잇따르면서 새로운 목표가 생겼다. 바로 다양한 분야에서 일하고 있는 멋진 여성들을 모두 내 방송에 초대하는 것! 세상이 조금씩 바뀌어가고 있다고 생각하지만 그래도 여전히 여성들의 목소리를 들을 수 있는 곳이 많지 않다. 사회 곳곳에서 저마다의 방식으로 살아가고 있는 여성들의 이야기를 들으며 함께 웃고 울고 공감하는 방송을 만들어나가고 싶다.

솔직히 한국에서의 삶이 만만치 않다. 거기에 끊이지 않는 페미니즘 이슈들로 인해 마음이 힘들고 눈물도 많아져 사는 게 버겁게 느껴질 때도 많다. 그럼에도 불구하고 계속해서 앞으로 나아갈 수 있는 건 우리가 서로 연결되어 있다는 연대감 때문이다. 그런 의미에서 이것은 나의 연대기이기도 하지만, 나와 함께해준 많은 게스트와 청취자들과의 '연대連帶'기라고도 부를 수 있을 듯하다. 앞으로는 내 방송이 여성들 그리고 성소수자나 장애인과 같은 사회적 약자들이 서로 끈끈하게 이어질 수 있는 연대의 장이 되었으면 하는 바람이다. 그리고 그런 방송을 만들기 위해 나는 앞으로도 쉬지 않고 달릴 예정이다.

더 오래 즐겁게
방송하기 위해서

매주 고정적으로 할 일이 있다는 건 행복하면서도 괴로운 일이다. 좋아하는 일을 계속 해나간다는 것, 에피소드가 차곡차곡 쌓이고 함께 웃고 공감해줄 청취자들이 조금씩 늘어간다는 것은 정말 즐겁고 뿌듯하다. 하지만 매주 새로운 콘텐츠를 만들어내야 한다는 압박감에 시달릴 때면 '이번 주만 어떻게 좀 쉴 수 없나?' 하는 생각이 절로 든다. 게다가 '영혼의 노숙자'는 처음부터 콘셉트가 확실히 잡혀 있던 방송이 아니라 초반에는 시행착오도 있었고 많이 힘들었다. 매주 '다음 주에는 뭐 하지?'라는 고민으로 머리가 터질 것 같았다. 격주로 한다고 할걸, 괜히 매주 업로드한다고 해서…… 후회스럽기도 했다. 다행히도 지금은 방송의 색깔이 꽤 뚜렷해졌고 아이디어도 넘쳐나는 상태라 그런 고민은 줄었다. 다만 삼십 대의 저질 체력으로 과연 이 아이디어들을 실현시킬 수 있을지가 좀 의문이다. 이제 진짜 팟캐스트를 위해서 운동을 시작해야 될 시점이 온 게 아닌가 싶다. 내 인생에서 다이어트 목적이 아닌 운동을 하게 되는 날이 오다니. 팟캐스트가 사람 많이 바꾼다. 물론 아직 시작은 안 했지만…….

팟캐스트를 하는 내내 나의 가장 큰 고민은 어떻게 하면 오래 그리고 즐겁게 팟캐스트를 계속할 수 있을까, 였다. '디벨롭' 한 아이디어를 '팔로업' 하는 일 외에도 여러 가지 고민거리가 있었는데, 그중 하나는 조회수에 대한 것이었다. 조회수가 다가 아니라는 걸 잘 알고는 있지만 그래도 청취자들의 반응을 즉각적으로 확인할 수 있는 중요한 척도라 신경을 끄기가 쉽지 않다. 그래도 요새는 많이 내려놓은 터라 며칠씩 까먹기도 하지만 초기에는 정말 하루에도 몇 번씩이나 새로고침을 해가며 신경을 곤두세우곤 했다. 그러다가 한번은 좀 창피한 일도 있었는데, 조회수가 잘 나오다가 갑자기 뚝 떨어진 거다. 왜지? 방송이 좀 짧긴 했지만 그래도 괜찮았던 거 같은데? 갑자기 이렇게 곤두박질칠 리가 없어. 뭔가 집계가 잘못된 걸 거야! (이게 바로 셀럽의 마인드) 나는 당장 호스팅 사이트의 고객센터에 문의를 넣었다. "이번 주에 올린 에피소드 조회수가 너무 적은데 혹시 집계가 잘못된 거 아닌가요?" 하지만 집계에 문제가 있었을 리 없었고 고객센터도 뭐 이딴 문의가 다 있나 생각했는지 답을 해주지 않았다. 지금 생각해보면 너무 부끄러워서 쥐구멍에라도 숨고 싶은 심정이다. 돌이켜보면 그 에피소드는 휴가 때 독일에 가서 안부도 전할 겸 가볍게 했던 방송이었고 러닝타임도 평소의 절반 정도였기 때문에 조회수가 잘 나올 리 없는 방송이었는데 자의식 과잉으로 그걸 받아들이질 못했던 거다. 아무리 그래도 답은 해줄 수 있지 않나. 무시할 건 또 뭐람. 팟빵은 서비스를

마이너 스타 이즈 본

개선할 필요가 어쩌고저쩌고……는 아니고 그때는 민폐를 끼쳐 죄송했습니다. 이제는 자의식 과잉에서 벗어났어요.

아무튼 그래도 위의 일화는 냉정하게 말해 퀄리티와 조회수가 비례했던 경우라 별문제가 아니긴 하다. 진짜 문제는 내가 생각했을 땐 정말 좋은 에피소드 같은데 그만큼 반응이 좋지 못한 경우다. 아마 나뿐만 아니라 다른 팟캐스터분들도 같은 고민을 갖고 있을 거라 생각한다. 팟캐스트를 하다 보면 별생각 없이 가볍게 만든 에피소드가 폭발적인 반응을 얻을 때도 있고, 반면에 정말 좋은 취지로 열심히 준비해 만든 방송인데 반응이 도통 시원치 않을 때가 있다. 그럴 때면 앞으로 과연 어떤 방송을 해나가야 하는 것인지 고민할 수밖에 없게 된다. 어찌 됐든 조회수란 건 가장 객관적인 평가 기준이자 청취자들이 무엇을 원하는지 알 수 있는 자료니까 말이다.

'영혼의 노숙자'는 기본적으로는 코미디 팟캐스트면서 교양 방송으로서의 측면도 지향하고 있는데 이런 두

가지 면이 잘 어우러진 에피소드들도 있고 한쪽으로 치우쳐진 경우도 있다. 조회수가 잘 나오는 건 역시나 코미디 요소가 강한 에피소드들인데 진지한 내용인 경우에는 확실히 그보단 덜 나오는 편이다. 그러다 보니 청취자들은 내 방송을 웃고 싶어서 듣는데 쓸데없이 진지한 내용을 다루는 게 아닌가 싶어 고민도 많았다. 특히 웃긴 에피소드가 올라올 때마다 매번 '이번 편 독일언니들 느낌 나고 너무 재밌었어요'라는 댓글들이 달리는 걸 보고 사람들이 원하는 걸 내가 제대로 캐치하지 못하고 있는 건가 싶기도 했고, 한편으로는 조금 서운한 마음도 들었다. 나는 홀로서기를 하면서 좀 더 내 색깔이 분명한 방송을 만들려고 노력하고 있는데 사람들은 그저 '독일언니들2'를 기대하고 있는 건가? 이런 생각이 들 때면 좀 우울하기도 했다. 하지만 그렇다고 해서 청취자들, 정확히 말하자면 댓글이나 SNS상으로 피드백을 주는 청취자들의 요구에 맞춰서 내가 원하는 방송의 방향을 포기하고 싶지는 않았다. 조회수가 잘 나오고 순위가 올라가는 건 기쁘고 자랑스러운 일이지만 그것만을 좇아 방송을 하게 되면 즐거울 것 같지가 않았기 때문이다. 그래서 어느 순간부터는 이건 결국 내 방송이고, 내가 하고 싶은 이야기를 하는 방송이니까 청취자들이 그게 마음에 들지 않아 떠나게 된다면 어쩔 수 없는 일이라는 생각을 하게 됐다. 조회수나 순위보다 더 중요한 건 내가 방송을 즐기면서 오래 해나갈 수 있느냐에 달려 있으니까. 그렇게 생각하자 더 마음 편히 즐겁게 방송할 수 있게 됐고 방송도 좀 더 개성이 뚜렷해졌다. 실제로 '독일언니들' 같은 방송을 그리워하던 청취자들 중에는 영노자는 취향에 안 맞는다며 떠난 사람들도 많은데, 대신에 나와 비슷한 관심사를 가지고 있고 조금은 달라진 유머 코드를 좋아해주는 새로운 사람들이 그 자리를 채워주고 있다. 정말 감사한 일이다.

일전에 한 오디오 크리에이터 모임에 참석했을 때 비슷한 맥락의 질문을 받은 적이 있다. "청취자들의 요구를 어디까지 수용해야 하나요?" 팟캐스트를 진행하고 계신 분이었는데 꽤나 난감한 표정으로 질문을 던졌다. 청취자들로부터 주제와 관련해서 이런저런 피드백들이 많았던 모양이다. 내 대답은 '모든 요구를 다 들어줄 순 없다', 즉 '모두를 만족시킬 수 있는 방송은 없다'였다. 모두를 만족시키는 것이 가능하다면 더할 나위 없겠지만 세상에 그런 콘텐츠는 존재하지 않는다. 물론 많은 청취자들이 원하고 방송의 방향성에도 잘 맞는 테마나 형식일 경우에는 기꺼이 수용해도 좋다. 하지만 그게 아니라면 과감하게 포기하는 것이 결과적으로는 방송의 개성을 살리고 오래 해나갈 수 있는 길이라고 생각한다. 가장 중요한 건 내가 즐겁고 보람을 느끼는 방향으로 꾸준히 해나가는 거다. 그러다 보면 분명 언젠가는 내 콘텐츠를 이해하고 좋아해주는 사람들이 하나둘씩 늘어나기 시작할 거다.

그러니까 다들 지치지 말고 즐겁게 오래도록 팟캐스트 하자구요. 저는 다음 주부터 진짜로 운동하러 갑니다. 체력이 곧 팟력(?)이니까.

영혼의 노숙자
에피소드 리스트

동네책방에서 생긴 일

•

세상엔 좋은 책이 너무나 많다 그래서 힘들다…

세상엔
좋은 책이
너무나 많다
그래서 힘들다...

팟캐스트
프로필

팟캐스트	세상엔 좋은 책이 너무나 많다 그래서 힘들다⋯
팟캐스터	서보라, 김은지
업데이트	월 1~2회
키워드	책, 독립출판, 동네서점, 동물, 사랑, 나눔
인스타그램	@ipparangee

좋은 책과 독립출판물을 소개하는 북캐스트입니다. 줄여서 '세너힘'이
라고도 불러요. 책을 사랑하는 직장인 서보라, 시 쓰는 김은지가 함께
제작하고 진행합니다. 책을 낭독하고, 게스트를 초대해 도란도란 이야
기를 나누고, 동네책방에 모여 재미있는 일을 꾸미기도 합니다.

"뒤에서 곰이 안아주는 듯
마음과 몸이 따뜻해지는 팟캐스트."

조**

"이렇게 숨은 보석처럼 반짝이는 팟캐스트,
너무나 기다렸습니다. 오래오래 해주세요!"

흰**

세너힘을
소개합니다!

팟캐스트를 하고 있어요. 정확하게 말하면 팟캐스트를 진행하고, 녹음하고, 업로드하고 있어요. 제가 아주 좋아하는 언니와 함께요.

팟캐스트가 무엇일까요? 제겐 그저 나의 생각을 불특정한 사람들에게 얘기하는 거예요. 이게 왜 재미있냐 하면, 하고 싶은 말이 있는데, 친구나 가족에게 얘기하긴 민망한 것들이 있죠. 예를 들면, "환경 보호를 위해 플라스틱 이용을 자제하자"라든가 "우리 부장님은 귀가 너무 밝아서 휴대폰 진동 소리에도 화를 낸다. 전국의 부장님들! 제발 그러지 마시라"라든가. 나의 생각을 누군가에게 얘기하고 그걸 들은 누군가가 조금씩 변하게 될지도 모른다는 믿음. 그게 참 짜릿해요. 사실 책을 선정하고, 읽고, 녹음하고, 편집해서 업로드하기까지의 과정이 얼마나 귀찮고 성가신지 몰라요. 그런데 가끔은 녹음이 너무 하고 싶어질 때가 있어요. 바로 내 얘기를 나도 알지 못하는 누군가에게 하고 싶을 때죠!

저와 언니는 책을 읽고 글 쓰는 일을 좋아해요. 그래서 책에 대한 방송을 하기로 했죠. 좋아하는 것이 아니었다면 팟캐스트를 꾸준히 하지 못했을 거예요. 아이템 선정에 관해서는 무조건, 절대로 잊지 않으려는 기준이 있어요. 바로!

1. 지인에게 자신 있게 추천할 수 있는 좋은 책을 소개하자.
2. 독립서적과 기존 출판사의 책, 구분 없이 다양한 책을 다루자.

책을 선정할 때마다 스스로 되새기는 말이에요. 이렇게 다양한 책을 다루다 보니 어제보다 오늘, 조금은 더 새로운 시각으로 세상을 바라볼 수 있게 되는 것 같아요.

사실 인기 있는 책을 주제로 방송하면 확실히 순위가 올라가요. 그래도 '우리는 사람들이 잘 모르는 보석 같은 책을 찾아 방송한다!'를 임무로 생각하고 방송하고 있어요. 어차피 돈 벌려고 하는 것도 아닌데, 그냥 우리 소신대로 하자, 인 거죠.

주위에 팟캐스트를 진행한다고 말하면 돌아오는 단골 질문들이 있어요. 그중 하나가 "그걸로 돈 벌 수 있어?"예요. 그럼 저는, 조금 민망해지죠.

그 외에는, 녹음은 어디서 하는지, 마이크는 어떻게 하는지, 어쩌다 시작하게 되었는지 등의 질문들을 받곤 해요. 가끔 자기도 하고 싶었는데 부럽다며, 녹음할 때 꼭 불러달라고 몇 번이고 얘기하는 친구도 있어요. 그런데 막상 그 이후로 다시 연락은 안 오더라고요. (술자리에서 한 얘기라 그럴까요?)

팟캐스트를 시작한 지 1년이 넘어가니 슬슬 단골 청취자들이 눈에 띄어요. 인스타그램에서 친구도 맺고요, 업로드가 뜸하면 안부를 묻는 댓글을 달아주시기도 해요. 그럴 때마다 '누군가 우리 방송을 기다려주고 있구나' 하는 마음에 정말 뿌듯하더라고요. 게으름 때문에 녹음해놓고 업로드 안 하고 있다가 댓글이 올라오면 '아휴, 내 정신 좀 봐. 얼른 올려야겠다' 하고 정신이 퍼뜩 들죠.

팟캐스트를 하면서 기억에 남는 것들 중 하나는 '엄마가 녹음에 참여한 일'이에요. 방송 초기, 남들이 다 하는 것 말고 새로운 것을 시도하고자 하는 열정이 가득했던 때였죠. 함께 방송하는 은지 언니는 반짝이는 눈으로 절 바라보며 새로운 아이디어를 얘기하곤 했어요. 사실 저는 웬만한 일에는 잘 나서지 않고 귀찮아하는 성격이에요. 그런데 언니의 눈을 보자 거절할 수가 없었어요. '까짓것 뭐 해보지'라는 심정으로 시도한 게 많아요. 그리고 예상보다 결과가 아주 만족스러웠죠.

그중 한 아이디어가 엄마의 어린 시절 추억을 방송에 담는 것이었어요. 엄마에게 해줄 수 있냐고 묻자 "엄마는 그런 거 잘 못해"라고 했지만 은근 싫지 않은 내색이었어요. (저만의 착각일 수도……) 엄마 컨디션 좋을 때 다음 주쯤 하자고 지나가는 말로 하고, 다음 주가 되어 다시 물어봤죠. 그런데 세상에, 엄마가 무슨 말을 할지 다 생각해둔 거예요. 얼마나 웃기던지!

그리고 녹음을 딱 시작했는데, 지금까지 단 한 번도 들어보지 못한 엄마의 어린 시절 얘기를 하는 거예요.

초등학교 때의 짝사랑 얘기, 학교 다니던 추억 얘기를요. 얘기를 듣는데 막 눈물이 났어요. 녹음은 계속됐지만, 저에게는 녹음 이상의 시간이었죠. '내 존재가 없던 시절의 엄마'를 생각해보니 기분이 이상하더라고요. 엄마도 자식들 걱정이 아닌 자기 걱정을 하고 학교를 다니며 풋풋한 사랑을 했던 시절이 있었구나' 싶었어요. 이 글을 쓰다 보니 또 그때가 생각이 나면서 가슴이 뭉클해져요. 언제고 다시 한번 엄마의 어린 시절 추억을 녹음하고 싶어지네요. 가장 행복했던 때를요.

팟캐스트 없인
못 살아

처음 만난 팟캐스트

제가 팟캐스트를 처음 듣게 된 것은 결막염 치료 때문이었어요.

"눈을 감고, 아무것도 하지 마세요."

안과 의사의 말대로 어두운 방에서 눈을 감고 있었죠. 너무 심심했어요. 음악도 듣고 라디오도 틀어봤지만, 뭔가 더 집중할 수 있는 것을 듣고 싶더군요.

팟캐스트 어플을 다운받았습니다. 혹시나 하는 마음
으로 소설 제목 '젊은 예술가의 초상'을 검색했는데, 있
더라구요. 이런 게 진짜 있다니! 신기해하면서 방송을
들었습니다. 와, 주인공의 내면세계, 그의 혼란을 고스란
히 느낄 수 있었어요. 독서를 좋아하는 저이지만 이 작
품은 책으로 읽었다면 분명 힘들었을 거예요. 방송으로
들으니까 아주 편하게 주인공의 '의식의 흐름'을 따라갈
수 있었어요. 기대보다 훨씬 재미있었고, 전 소설 낭독
의 매력에 푹 빠졌답니다.

결막염 치료에서 불면증 치료까지

계속해서 고전 작품들을 찾아 들었습니다. 내용에 맞
춰 연기력을 발휘하는 사람도 있고, 차분하게 글자만 읽
어나가는 사람도 있었어요. 목소리, 말투, 억양이 제 취

향에 잘 맞으면 '구독하기'를 눌렀습니다.

하루는 『야간 비행』이라는 작품을 청취할 때였습니다. 시인 듯 소설인 듯 환상적인 문장을 듣다가 스르르 잠이 들었습니다. 어릴 때 엄마가 책 읽어주는 소리를 들으며 잠들 때처럼. 결막염이 다 낫고 난 후에도 잠이 잘 오지 않는 날이면 팟캐스트를 듣곤 합니다. 이야기를 듣다 보면 잡념이 사라지고 'ASMR'을 들을 때처럼 마음이 평화로워집니다. 불면의 고통에서 절 구해준 진행자들에게 말할 수 없이 고마움을 느끼면서요.

언젠가 친구가 이런 말을 했습니다.

"팟캐스트? 그게 진짜 필요한 건가?"

전 이렇게 대답했습니다.

"올해 나에게 일어난 일 중에 가장 중요한 일은, 팟캐스트를 듣기 시작한 일이야."

유명하지 않아서 더 좋은

팟캐스트도 유명한 사람들이 만드는 퀄리티 높은 방송이 많지요. 그런데 제가 찾아 들은 방송은 우연찮게 비유명인들의 방송이 많았습니다. 평범한 사람들이 신나서 자발적으로 만든 방송들을 더 꾸준히 듣게 되더라구요. 다소 어설프고 매끄럽지 못하더라도 그 점이 오히려 친근하게 다가왔어요. 관심사가 비슷한 사람들의 진솔하고 신선한 이야기를 듣노라면 좋은 친구를 만난 것처럼 기분이 좋았습니다.

지금까지 제가 팟캐스트를 듣게 된 계기와 팟캐스트가 제 삶에 일부가 된 과정을 떠올려봤습니다. 이 밖에도 팟캐스트의 장점은 너무나 많답니다. 청취자가 시간이 날 때 언제 어디서든 들을 수 있다는 점, 콘텐츠가 다양한 점, 아, 그리고 책을 좋아하는 사람이라면 이 점도 놓칠 수 없죠. 눈으로 읽는 것과 달리 정해진 시간 안에 한 권을 완독(?)할 수 있다는 점!

팟캐스트를 청취자로서 들으면서 발견한 좋은 점이 너무나 많아서 다 적을 수가 없네요. 그리고 이제는 제작자로서 팟캐스트를 만들며 발견한 재미에 대해 이야기해보려 합니다. 재미있게 들어주, 아니 읽어주세요!

세너힘에만
있어요

책방 중심 생활

'세너힘'의 콘텐츠는 '재미있는 책'과 동네책방, 독립
서점 이야기입니다.

특별할 것 없는 평일 저녁입니다. 태릉입구역에 위치
한 '지구불시착'. 이곳은 작은 책방입니다. 책방 문을 열
고 사람들이 하나둘 들어옵니다. 무역회사에 다니는 회
사원, 공부방 선생님, 프로 야근러, 퇴사자, 프리랜서 디

동네책방에서 생긴 일

자이너, 뮤지컬 배우…… 각자 전혀 다른 일을 하며 살아가지만 이들의 공통점은 책을 좋아한다는 것입니다.

사람들이 소설을 쓰고 있네요. 책방의 대표 프로그램인 글쓰기 워크숍이 진행되고 있습니다. 많은 분들이 한번쯤 자신이 쓴 글이 책으로 나오는 것을 꿈꾸실 텐데요, 책방 문을 여는 순간 그것은 꿈에 머무르지 않고 바로 시작할 수 있는 아주 재미있는 일로 바뀝니다.

책방의 이채로운 풍경은 이뿐만이 아닙니다. 이름 모르는 악기를 만져보는 모습도 보입니다.

"이 악기, 작가님이 만드신 거예요?"
"거기 메이드인 말레이시아라고 써 있잖아요."
"아…….."

기획하던 책의 완벽한 제목이 생각났다며 당장 텀블벅에 아이디어를 올리고 있는 작가님도 있고요. 특이한 책방이 생겼다는 소식에 먼 도시로 훌쩍 여행을 떠날 계획을 세웁니다. 틈이 나면 외국어를 공부하고, 사연 있는 물건들을 모아 새 주인을 찾아주기도 하고요. 그냥 책을 사러 서점에 갔는데 무슨 일이 벌어진 거죠?

책방의 마법에 걸려 어느새 책방 중심의 삶을 살아가게 된 저희는 방송의 콘텐츠를 책, 그리고 책방 소식으로 정하게 되었답니다. 책방이 좋아서 팟캐스트를 한 건지, 팟캐스트를 해서 책방이 좋아진 건지…… 둘 다 정답인 것 같습니다.

팟캐스트 세너힘은 화제의 독립출판물과 좋은 책을 소개하는 팟캐스트 방송입니다. 틀에 갇히지 않은 독특한 독립출판물, 고전 소설, 개성 있는 일인 출판사의 신작 서적 등 다양한 책을 우리만의 시각으로 나름 심도 있게 다루려고 합니다. 작가와 독자가 한데 어우러져 창조적 에너지를 주고받는 세계인 책방도 마이크를 들고(사실 휴대폰이지만) 직접 찾아가봅니다.

방송을 만들다 보면 새삼 알게 됩니다. 독립출판물이건 고전이건 베스트셀러건 상관없이 좋은 책은 장르를 뛰어넘어 우리의 마음에 강렬하게 다가온다는 것을요.

휴대폰 낭독회

세너힘의 오프닝은 크리스토퍼 님의 낭독으로 시작됩니다. 처음 방송을 들으신 분들이 가장 많이 하시는 말씀이 "대체 크리스토퍼는 누구냐?" "목소리가 너무 좋다"입니다. ("잘 생겼냐?"라는 질문도……)

크리스토퍼 님은 보라 씨와 제가 영어 회화 모임에서 만났는데, 모임 때마다 목소리가 좋다는 칭찬을 받던 멤버였습니다. 잠시 다른 얘기지만 영어 회화 모임에 가서 그 어떤 모임보다 책 이야기를 많이 했습니다. 여러 가지 토픽으로 이야기를 나누지만 어려운 사회 이슈에 대해 영어로 말하다 보면 어쩐지 분위기가 점점 다운되면서 단체 두통이 시작되는데요, 그래서인지 언젠가부터 책과 영화, 여행에 대한 이야기를 많이 하게 되더라구요.

아무튼 크리스토퍼 님께 갑작스럽게 낭독을 부탁드렸는데, 처음엔 당황하셨지만 지금까지 꾸준히 참여해주고 계십니다. 덕분에 방송이 다채로워지는 것 같아 아주 든든합니다.

문학을 공부하면서 눈으로만 읽는 '묵독'과 소리 내어 읽는 '낭독'에 큰 차이가 있다는 것을 알게 되었습니다. 문학 행사에서 낭독을 듣다 보면 이 작품이 이런 느낌이었단 말인가? 놀라울 때가 많았습니다.

낭독을 시작하기 전 목을 가다듬는 표정, 두 볼엔 홍조를 띠고 종이를 든 떨리는 손을 감추려는 몸짓…… 그건 노래를 부르는 것 같기도 하면서, 노래와는 또 다른 분위기가 있지요.

보라 씨와 함께 낭독을 하기 위해 처음으로 녹음 버튼을 누르던 날이 생생합니다. 엄청나게 어색했고 하도 틀려서 얼마나 웃었는지 몰라요. 생각보다 쉽지가 않았습니다. 이 목소리가 내 목소리라니? 내 목소리야, 예쁜 척 좀 그만해! 이렇게 발음을 대충 하면서 그동안 어떻게 사람들과 대화가 가능했던 거지?

낭독은 정말, 몰랐던 나 자신에 대해 많이 알게 해주는 작업이더군요. 그냥 읽을 땐 의식하지 못했는데 낭독

동네책방에서 생긴 일

을 하자니 발음하기 너무나 어려운 단어들도 많았고 한
창 생각 없이 읽는 듯하더니 자꾸만 부끄러워져서 또 빵
터지고, 도대체 이래서야 방송을 만들 수나 있을지?

그땐 몰랐습니다. 틀리면 그냥 그 부분을 다시 읽고
틀린 부분을 편집하면 되는데 말이죠. 틀리면 틀리는 대
로 올리는 것도 괜찮고 말입니다. 처음엔 성우처럼 정확
한 발음으로 완벽하게 해야 한다고 생각했어요. 지금은
편안하게 낭독을 하고 있습니다. 보라 씨는 보라 씨답
게, 저는 저답게 하는 것이 가장 좋다는 생각으로요.

그러던 어느 날, 이런 재미있는 활동을 저희만 할 게

아니라 청취자들도 함께해보면 어떨까 하는 아이디어가 떠올랐습니다. (늘어나는 편집 시간……) 수줍음과 설렘이 담긴 애청자님의 낭독과 함께라면 방송이 훨씬 풍성해지겠구나! 싶었습니다. 그렇지만 처음에는 무반응…….

그러다가 애청자이신 나영 님이 너무 좋은 아이디어라면서 참여해주었습니다. 다시 한번 감사드려요! 참여자가 많지는 않지만 이따금씩 애청자들이 지금 읽고 있는 책의 한 구절을 녹음해서 파일을 보내줍니다. 연필로 꼭꼭 눌러 써내려간 편지처럼 한마디 한마디 조심스럽게 읽는 목소리를 들으면 정말이지 가슴이 따뜻해집니다.

혹시 지금 이 책을 읽고 계신 분들 중에서 '나도 한 번 낭독을 해볼까?' 하는 마음이 드는 분이 계신가요? 망설이지 마시고 녹음 버튼을 눌러보세요! 뜻밖에 재미있는 추억을 만드실 수 있을지도 몰라요. (파일은 snowpie@naver.com으로 보내주세요. 헤헤.)

세너힘에서
일어나는 일들

팟캐스트를 하면서 일어난 삶의 작은 변화 _ 서보라

어떤 책을 다루면 좋을까 고심하고 고심하던 방송 초기, 우연한 기회에 손에 들어온 책 『성장에 익숙한 삶과 결별하라』에 푹 빠져 있었을 때, 마침 은지 언니는 『버리는 즐거움』을 읽고 있었어요.

『성장에 익숙한 삶과 결별하라』에서는 미니멀리즘의 의미와 본질을 배울 수 있었고, 『버리는 즐거움』에서는 실천 방법에 대해 알 수 있었죠. 방송 준비를 위해 더 열심히 읽었고, 미니멀리즘의 의미에 깊이 공감할 수 있었어요.

이 책들로 방송 녹음을 마친 그날부터 필요 없는 물건을 버리며 미니멀리즘을 실천하기 시작했어요. 하루가 다르게 깔끔해지는 화장대와 서랍을 보니 점점 더 신이 났는데, 한편으로 '내가 너무 유행 따라 맹목적으로 미니멀리즘을 찬양하고 있나' 하는 혼자만의 걱정을 하기도 했어요. 어쨌든 유통기한이 지난 화장품을 버리고(너무나도 당연한 이 일을 지난 30년 동안 못 했다니!), 사용하지 않는 물건들을 지인들에게 주거나 버렸으며, 1년 이상 입지 않은 옷들을 버리려고 했으나…… 했으나…… (옷을 버리는 일은 무엇보다 힘든 일이라는 것을 깨달아버렸죠).

시간은 흐르고 팟캐스트를 꾸준히 해나가며 다양한 책을 접하다 보니, 동물의 권리와 보호에도 관심이 깊어졌어요. 어떻게 하면 무리하지 않으면서 의미 있는 일을 실천할 수 있을까 고민하다가 플리마켓이 떠올랐죠.

동네책방에서 생긴 일

방법은, '세너힘' 이름으로 플리마켓을 열어 멀쩡하지만 쓰지 않는 물건을 팔아 번 수익금을 유기견 보호소에 기부하는 것. 팟캐스트 홍보도 하고, 동물 사랑과 미니멀리즘까지 실천하는 일거삼득 효과를 누리는 것이었죠!

제가 생각하기에는 너무나 완벽한 플랜이었어요. 그런데 막상 은지 언니에게 얘기하려니 너무 떨리는 거예요. 말이 쉽지, 플리마켓을 연다는 게 물리적으로 힘들기도 하고, 모든 사람의 가치관이 저와 같을 수 없으니까요. 그래서 은근슬쩍 플리마켓의 '플'까지만 얘기했는데 언니는 단번에 "너무 좋다!"며 승낙해버리더라고요.

이렇게 우리 생애 첫 플리마켓이 시작되었어요. 날 좋던 9월의 어느 날, 공릉동 철길공원에서 열렸지요. 좋은 일을 한다고 하니 너도나도 도움의 손길을 내미는 주위 사람들 덕분에 마켓에 가져갈 물품이 부족할 일은 없었어요. 입지 않지만 차마 버릴 수 없던 옷들, 한두 번 쓰고 방치해둔 기기들, 한 번도 쓰지 않았음에도 누구에게 주기는 아까웠던 물건들을 즐거운 마음으로 하나라도 더 모아 가지고 나갔어요. 엄마 친구는 한 번도 쓰지 않은 냄비와 와인잔 세트를 기부해주셨고, 동생들은 전 남자친구에게 선물 받은 인형, 새 신발, 옷 등을 기꺼이 내주었죠. 책방 '51페이지'의 주인장이었던 김현경 작가님은 옷을, 지인 몽실언니는 수제 액세서리를 기부해주었어요. 유기견에게 기부한다고 하니 하나라도 더 사주려는 마을 주민들이 있어 마음은 더 따뜻해졌죠. 플리마켓을 마치고 은지 언니와 먹었던 어묵탕은 어찌나 맛있던지……. 새로운 무언가를 해냈다는 성취감과 의미 있는 일을 했다는 뿌듯함이 가득한, 분명 행복한 순간이었어요.

하지만 마냥 좋은 일만 있었던 건 아니었어요. 만 원짜리 행거를 인터넷에서 구입해 장터까지 가져가야 했는데 차는 없고, 행거는 어찌나 길고 무겁던지. 장터에서 조립하는데 나사 하나가 불량이라 테이프로 고정시키느라 땀은 삐질삐질 나고, 다시 분해해서 가져오는 일도 만만치 않았죠. 깎고 또 깎는 손님 덕에 장사 경험 없는 우리는 당황했고요, 깎아줬으니 빵을 가져오겠다고 하고 자취를 감추신 손님도 기억나고요. 중간 사이즈 봉투만 준비했다가 점퍼를 넣을 봉투가 없어 헐레벌떡 뛰어 다니느라 정신이 달아나기도 했어요.

어찌 됐든 우리는 무사히 첫 번째 마켓을 끝내고 유기 동물을 위해 봉사하시는 유엄빠 님께 판매금을 전달할 수 있었어요. 그 후 두 번째 마켓에도 도전했는데 그때는 교통사고로 후지마비가 된 길냥이의 치료를 위해 일정 금액을 기부했어요.

최근 읽고 있는 책 『개인주의자 선언』에서 문유석 판사님은 행복해지기 위해 '합리적 개인주의자'가 되는 것을 자처한다고 합니다. 저 또한 제가 행복해지기 위해 팟캐스트를 하고 있고요. 인간으로서 필연적으로 사회와 타협하며 살 수밖에 없고, 직장생활을 하며 생계를 유지하고 있지만, 책을 읽고 팟캐스트를 하며 소소한 즐거움을 느끼고 제가 감당할 수 있는 한도 내에서 봉사 같은 의미 있는 일을 하며 행복을 추구하는 거죠. 삶에 있어 이러한 밸런스를 유지하는 것이 얼마나 중요한가 깨닫게 되는 요즘입니다.

팟캐스트와 나 _ 김은지

팟캐스트를 하면서 제 삶에 일어난 변화는 정말 많습니다. 책방에 더 자주 가게 되었고 책을 더 많이 샀으며 요즘 무엇이 화젯거리인지 알게 되었습니다.

새로운 인연도 생겼습니다. 책방에서는 작가님들을 자주 만날 수 있는데요, 창작 에너지가 넘치는 그분들과 얘기를 나누다 보면 저도 뭔가를 만들어보고 싶고 시작해보고 싶고, 어느새 제 손에는 수제 소설책을 만들기 위한 접착제가 쥐어져 있었습니다. (제가 만든 수제 소설책 『영원한 스타―괴테 72세』 많이 구입해주세요…….)

독립출판계의 슈스(슈퍼스타)인 김현경 작가님을 초청해 방송을 같이 만들기도 했고, 그 인연으로 '쓺'이라는 글쓰기 어플에 「산호섬」이라는 제 소설을 발표하기도 했지요. 책방 '51페이지', '지구불시착', '도도봉봉'과 '아무책방'에서 시 쓰기 모임도 진행하게 되었고요.

이렇게 외연적으로도 많은 변화가 있었는데요, 그보다 저에게 일어난 소소한 내적인 변화를 이야기하고 싶습니다.

#하고_싶은_일은_과감하게_시작하자!

방송을 막 시작했을 때였습니다. 동네책방 '지구불시착'에 갔을 때의 일이에요. 사장님은 항상 손님들에게 다른 손님들을 소개시켜 주신답니다. 그런데 저에 대해서는 "이분은 세너힘이라는 팟캐스트를 만들고 있어요"라고 소개하시는 거예요. 그러자 한 손님이 "어머, 어쩐지 목소리가 참 좋더라니"라고 하셨죠. 엥? 태어나서 목소리 좋다는 말을 한 번도 못 들어봤는데? 객관적으로 지극히 평범한 목소리인데? 뭔가를 용기 내서 시작하면 응원해주는 사람들이 많이 있구나, 라는 것을 깨달았어

세상엔 좋은 책이 너무나 많다 그래서 힘들다…   85

요. (아마도 그분은 그냥 예의상······.) 팟캐스트를 시작한 이후로 뭔가 하고 싶은 일이 있으면 과감하게 시작해봐야지, 하는 용기를 얻게 되었어요.

목소리가 좋아서 팟캐스트를 시작한 사람도 있을 것이고 뚜렷한 목표가 있어서 시작한 사람도 있겠지만, 전 그냥 재밌을 것 같아서 시작했죠. 우쿨렐레를 배우고, 방송댄스를 배우러 갈 때의 마음처럼요. 그런데 팟캐스트를 시작하고 나서 저에게 일어난 가장 큰 변화는 뭐랄까, '#결정'으로 표현할 수 있을 것 같아요. 해시태그 결정이요.

#결정

문예창작과에 다니기 시작한 이래로 저는 줄곧 창작력을 극대화할 수 있는 삶을 살려고 노력했던 것 같아요. '다른 것', '새로운 것', '재미있는 것'에 관심이 갔어요. 그런데 팟캐스트를 만들면서 "이런 건 어때요?", "저런 건 어때요?" 너무 많은 아이디어를 내다 보니, 해야 할 일이 산더미처럼 쌓이는 느낌이었어요. 그러자 그걸 해낼 수 있을지 점점 위축되는 것 같았죠.

그런데 보라 씨는, 하나의 일을 마무리하고 다음으로 넘어가는 '결정'을 할 줄 아는 사람이었던 것입니다! 오래도록 선택 장애로 살아온 제게 그 균형감각은 신선함 그 자체였습니다. 제목은 이것으로 결정. 다음 책은 이것으로 결정. 인터뷰는 이 출판사로 결정. 제작이 '착착' 진행되는 느낌이었어요. 결정하지 않으면 앞으로 나아가지 못하므로! 이후로 저는 팟캐스트뿐만 아니라 다른 일을 할 때도 일이 착착 진행될 때의 이 리듬을 기억하려고 노력하고 있어요.

#콜라를_줄인_사연

저는 믹스커피를 끊었습니다. 팟캐스트를 하면서 끊

은 것은 아니고 그냥 갑자기 끊어봐야겠다는 생각이 들어서 끊었어요. 그러자 콜라가 그렇게 마시고 싶어서 콜라에 중독되었습니다. 매일 콜라를 마시며 생각했죠. '이럴 거면 차라리 그냥 믹스커피를……' 그러던 제가 요즘 콜라도 자제하게 되었습니다. 그 이유는 다름 아닌, 내가 콜라를 마시면 또 플라스틱 병 쓰레기가 생긴다는 생각 때문입니다.

함께 팟캐스트를 만드는 보라 씨가 동물 보호에 관심이 많아서 만날 때마다 여러 가지 정보를 말해주는데, 동물의 권리에 대해 생각하다 보니 자연스럽게 환경 문제도 생각하게 되고 저의 생활 습관에도 많은 변화가 생겼습니다. 팟캐스트를 하면서 콜라까지 줄이게 될 줄이야…….

아, 이런 좋은 점도 있습니다. 저는 시를 발표한 지 2년이 안 된 병아리 시인인데요, 낭독회나 문학 행사에서 늘 낯선 사람들을 만나게 됩니다. 어색한 침묵 속에 할 얘기가 없으면 "저, 혹시 팟캐스트 들으시나요?" 이 물음이 좋은 화젯거리가 된답니다. 뜻밖에도 저를 더 쉽게 기억해주시는 홍보 효과(?)도 있는 것 같아요. 한마디로 '개이득!'

꾸준히 방송을 만들다 보니 할 얘기가 너무나 많네요! 이 글은 여기까지 쓰는 것으로 '결정'하고 다음으로 넘어가도록 하겠습니다.

한 문장만 더하자면 팟캐스트 만드는 사람, 팟캐스터! 제 소개에 들어가는 그 수식어가 꽤 맘에 듭니다.

팟캐스트 제작
생각보다 쉽다!

2017년 2월 11일 첫 방송을 업로드하고, 꼭 1년 만에 제작기를 쓰네요. "작년에 우리 어땠지?" 한파를 피해 원고를 쓰러 간 카페도 마침 첫 원고를 뽑아와 회의했던 바로 그곳!

음악이 아닌 '낭독'으로 오프닝을 하기로 했기에, 처음 해보는 낭독에 대한 떨림까지 더해져 더욱 설레었던 기억이 생생해요. 재밌었던 때(지금도 재밌지만)를 돌아보는 건 이렇게 행복한 일이구나, 싶어요. 예상 못한 난관에 부딪혔을 때마다 잘 넘어갈 수 있었던 건 팟캐스트 제작이 그만큼 몰입도 높고 신기한 활동이었기 때문이에요.

자, 이제 프로그램 제목도 정하고 로고도 만들어야 한다, 그럼 포토샵인지 인디자인인지 그것부터 시작해서 녹음 장비, 편집 프로그램, 업로드하는 법, 원고 쓰기, 진행…… 모두 하나하나 배워나가야 할 것투성이였죠. 하고 싶어서 하기로 했지만, 하기로 했으니 하겠지만, 진짜로 우리가 할 수 있을까, 막막했던 순간은 너무 많았어요. 어려움을 느낄 때마다 "우린 잘할 수 있어요!"라고 말해주는 보라 씨가 아니었다면 꿈은 현실화되지 못했을 거예요!

사람들이 팟캐스트 제작에 대해 많이 물어보는데 그럴 때면 책방 창가 자리에 앉아 각자 맡은 첫 번째 미션을 클리어, 하던 날을 떠올려봅니다. 그날 우리의 도전 과제는 '낭독 파일에 배경음악 깔아보기'였죠. 각자 집에서 낭독 연습을 오조오억 번씩 한 다음, (가족들은 우리의 낭독을 듣느라 손발이 사라지는 경험을……) 휴대폰으로 음향 편집 프로그램을 이용해 배경음악을 깔아보려고 했어요. 한데 파일이 MP4로 저장되어 열리지 않는 것이었습니다! 당황했지만 "하다 보면 다 되게 되어 있어요!" 하며 보라 씨는 파일 변환 프로그램에 대해 찾아보며 나에게는 배경음악을 알아보라고 하더라고요.

'음악을 쓰려면, 저작권료를 어떻게 내고 사용하지?'라고 어렵게 생각하고 있었는데, 검색을 해보니 무료로 사용할 수 있는 음원이 있는 것이었습니다. '유튜브 오디오 라이브러리'에서 다운받으면 되었죠(228쪽 참고). 보물상자를 찾은 듯 좋아하는 내게 "이제 곡이 어떤 느낌인지 들어보는 게 중요하겠죠?"라고 말하던 보라 씨의 멋진 표정과 목소리가 마치 어제 일처럼 떠올라요.

섬네일(로고) 제작은 능력자이신 책방 '51페이지'의 김종원 (전)사장님이 아주 흔쾌히 그 자리에서 뚝딱 만들어주셨어요. 불과 1년 전만 해도 파일 업로드에 얼마간 비용이 부과되었는데 지난봄부터 무료로 전환되었고, 업로드 사이트와 재생 사이트도 하나로 합쳐져 일은 반으로 줄어들었죠. 시작할 때엔 예상하지 못한 기쁜 소식들이 이어졌습니다.

팟캐스트 제작을 망설이고 계신가요? 걱정은 '노노해요.' 주변에 능력자는 많고, 기술의 발전으로 편집과 업로드는 점점점점 더 쉬워질 것으로 전망됩니다. 무엇보다 때때로 주어지는 작은 미션을 하나씩 수행할 때마다 엄청난 성취감이 여러분을 기다리고 있답니다. 자, 그럼, 레츠 고!!

팟캐스트 이렇게 하면 됩니다

팟캐스트 제작 과정을 좀 더 간단하게 정리해볼게요.

첫째, 어떤 주제로, 무엇을 목적으로 할지 결정해야 합니다.
둘째, 협업을 하려면 자주 만나도 트러블이 없고, 서로의 사정을 이해할 수 있는 관계면 좋습니다.

셋째, 어떤 장비로 어디에서 할지 도구와 방식을 결정합니다.

넷째, 사용할 음악 등의 저작권을 확인하고 편집 프로그램으로 편집하여 녹음 파일을 업로드합니다.

세너힘은,

스마트폰 어플 'DaRecorder'를 사용합니다.

장소는 주로 스터디카페의 룸을 이용합니다.

'Audacity'로 편집을 하지요.

배경음악은 유튜브 무료 음악을 사용합니다.

팟빵 사이트에 녹음 파일을 업로드합니다.

끝!

검색창 검색 결과보다 좀 더 쉽게 느껴지지 않으시나요?

세상엔 좋은 책이 너무나 많다 그래서 힘들다…
에피소드 리스트

1회 1부 달의 조각_하현

1회 2부 달의 조각_하현, 51페이지

2회 1부 말하다_김영하

2회 2부 말하다_김영하

3회 1부 하염없이 눈 내리는 밤_김종완

3회 2부 하염없이 눈 내리는 밤_김종완

4회 1부 [미니멀리즘] 성장에 익숙한 삶과 결별하라_우경임, 이경주

4회 2부 [미니멀리즘] 버리는 즐거움_야마시타 히데코

4회 3부 [미니멀리즘] 버리는 즐거움_야마시타 히데코

5회 1부 나는 내가 아픈 줄도 모르고_212129, 쪽프레스

[별책] 붓_김은지

5회 2부 응급실 간호사의 삶을 내시경한다 / 나는 내가 아픈 줄도
　　　　　모르고_212129

6회 1부 어린왕자_생텍쥐페리

[별책] 왜 쳐다보는 거예요?_김종완

6회 2부 어린 왕자_생텍쥐페리 (크리스토퍼 출연)

7회 1부 악필_이허생

8회 1부 이모, 안녕 주정뱅이_권여선

8회 2부 이모, 안녕 주정뱅이_권여선

8회 3부 이모, 안녕 주정뱅이_권여선

이토록 멋진 활자의 세계를

소리로 기록한다는 것

•

어느 남녀의 책읽기

어느
남녀의
책읽기 📖

팟캐스트
프로필

팟캐스트	어느 남녀의 책읽기
팟캐스터	K와 J
업데이트	월 2회, 수요일 즈음
키워드	독서, 낭독, 취미, 남녀
인스타그램	@bookkh17
블로그	blog.naver.com/bookkh17

K와 J가 책을 읽어드립니다.

두 남녀가 각자 선정한 책을 낭독해요. 작품에 대한 감상을 코멘트하고 간단한 책 정보를 알려드려요. 신청 도서도 받고 사연도 읽어요. 업데이트는 한 달에 두 번, 수요일 즈음. 낭독 욕구가 넘치거나 후기가 많이 달려 힘이 나면 불시에 번외 편을 올리기도 합니다.

"무언가를 읽는 행위도 중요하지만
무언가를 온전히 듣는 행위도 중요하다는 것을
이 방송을 들으며 많이 느낀다."

j**

"낭독이 작품이라 말하고 싶습니다."

b**

우리를 설명하는
키워드 ― '어느' '남녀' '책읽기'

우리를 설명하는 세 가지 키워드가 있습니다. 프로그램 이름에 그대로 드러난 바로 그 세 단어 '어느', '남녀', '책읽기'입니다. 이것은 우리를 표현하는 키워드이자 우리 방송이 어떻게 기획되었는지 보여줍니다. 좋은 장비도 없고 전문 진행자도 아닌 K와 J에게는 우리만의 기획, 우리만의 색깔이 필요했습니다. 그래야 2만여 개의 팟캐스트 가운데 우리의 방송을 누군가 들어주지 않겠어요? 그래서 우리는 이런 포인트를 가지고 방송을 시작했습니다. 방송을 시작하고 나니 결과적으로 이 세 가지가 저희 프로그램의 강점이 된 것 같습니다.

1. '어느' 평범한 사람들

서울 어딘가에 어느 남녀가 살고 있습니다. 서른 즈음의 두 사람은 성실히 직장에 다니며 사표를 마음속 한 귀퉁이에 품고 살지만 결코 일을 그만둘 수는 없는 소시민이지요. 그다지 사교적이지는 않으나 주말에는 종종 약속이 있는 그런 사람들입니다. 시끄러운 걸 싫어하고 언뜻 보기에는 얌전한 사람들이지요. 그러다 친한 친구들과 술을 마시면 기분 좋게 취해 크게 웃기도 하고요. 취미는 (진짜) 독서. 집에서 뒹굴거리는 것을 좋아하지만 지나치게 무료한 것은 싫어서 모임을 갖기도 해요. 평범하게 사는 게 제일 어려운 것이라는 세상의 말에 고개를 끄덕이다가도 평범하다는 말을 들으면 그 말에 반박하고 싶은 마음이 들기도 하는, 그러니까 지독하게 평범한 사람들입니다.

이토록 멋진 활자의 세계를 소리로 기록한다는 것

어느 남녀는, 특별히 말을 잘하지도 않고, 그렇다고 재미있는 사람들도 아니라서 팟캐스트를 하게 되리라고는 생각하지 못했지요. 많은 사람들이 내 생각을 알게 되고, 내 목소리를 듣게 되어, (조금은) 익명성을 버리고 K와 J라는 특정한 이름까지 갖게 될 줄도 몰랐어요. 그런데 어쩌다 보니 1년이 넘게 팟캐스트를 진행하고 있네요.

이런 평범함 덕분에 오히려 청취자분들이 많이 호응해주시는 것 같아요. 정리되지 않지만 진심을 다하는 말들, 느린 말투, 서툰 낭독. 내 주변의 어느 누군가가 책을 읽어주고, 그 책에 대해 이야기를 들려주는 느낌. 그런 느낌이 우리 팟캐스트의 개성일 수 있을 거예요.

2. '남녀'

방송 이름에 '남'과 '여'라는 단어를 넣은 건 청취자들의 흥미를 끌기 위해서였어요. 낭독을 할 때 '케미' 같은 효과를 가져오면서, 과연 두 진행자는 어떤 사이일까 궁금증을 유발할 수 있을 것 같았죠. 결과적으로 전자는 잘 활용했고 후자는 그다지 어필이 못 되었어요. 남녀가 함께 등장하는 소설에서 역할을 나누어 낭독해 호응을 얻었지만, 청취자분들이 K와 J 사이를 별로 궁금해하지 않더라고요.

방송에서 우리 사이는 무엇일까요, 라는 퀴즈를 객관식으로 냈어요. 열 분이 댓글로 퀴즈에 참여해주시면 정답을 공개하겠다고 했죠. 그런데 여덟 분 정도밖에 참여를 하지 않으셔서 정답은 영원히 묻기로 하였다는 민망한 경험이 있어요. 호기심 유발에는 실패했지만 남녀의 대화를 함께 낭독할 수 있다는 점은 우리 방송만의 큰 강점이라고 생각해요. 여러 가지 내용의 낭독이나 기획을 구상해볼 수도 있고요.

또 진행자를 남자와 여자로 구성한 것은 낭독의 편의를 위한 점도 있었어요. 남자 화자는 K가 읽고 여자 화자는 J가 읽는 거예요. 물론 전부 구분 지어서 읽지는 않아요. 지금도 성별 구분 없이 읽고 있어요. 라디오 드라마도 아니고(종종 몹쓸 연기 본능이 드러나긴 하지만), 그저 이야기를 읽는 것이니 화자의 성별과 낭독자의 성별을 굳이 맞출 필요는 없지요. 특별한 경우에만 성별을 맞춰 낭독해요. 서간체 문학을 읽을 때라든가, 낭독자와 화자의 성별이 같으면서 목소리도 잘 어울릴 때요. 그럴 땐 낭독자의 목소리가 화자에 입혀지면서 실감나는 낭독이 되기도 합니다.

3. 낭독

사실 낭독은 그다지 인기 있는 콘텐츠가 아니에요. 스토리를 좇아가야 하기 때문에 라디오처럼 편하게 들을 수 없거든요. 집중력이 필요한 방송이죠. 책에 대해 평하거나 감상을 나누는 방송, 책에 대해 대화하는 방송이 훨씬 더 인기가 많고 어떻게 보면 만드는 입장에서도 재미있을 수 있죠. 그런데 왜 '낭독'이라는 콘텐츠를 선택했냐면요, 우리 나름의 이유가 있습니다.

우리는 책을 읽을 때 대부분 눈으로, 소리 없이 '묵독'을 합니다. '낭독'이란 '소리 내어 읽는 행위'입니다. 이것은 매우 개인적인 행위이죠. 아마도 예술 중에 책만큼 개인적인 예술은 없을 겁니다. 작가가 혼자 쓰고 독자도 홀로 읽으니까요.

하지만 시간을 거슬러 올라가보면 최초로 '이야기'를 향유한 시대는 '낭독'의 시대였습니다. 인류 최초의 문학인 『일리아스』, 『오디세이아』도 고대 음유시인들의 입에서 입으로 전해지다가 기록된 것이지요. 조선 후기 한글 소설이 널리 퍼지게 된 것도 책을 읽어주는 전기수들에 의해서였고요.

우리는 낭독을 통해 문학의 시원으로 거슬러 올라가고 싶습니다. 문학의 태동이었던 '낭독'이라는 형식과 최신 기술인 '팟캐스트'와의 만남. 낭만적이면서 재기 넘치는 형식이라고 생각합니다.

사실 이건 책을 쓰면서 생각해본 낭독의 의미였고요, (책이란 걸 처음 써보는데 멋진 이야기를 하고 싶었어요!)

얼떨결에 시작한 방송이라 처음부터 이런 깊은 생각을 한 건 아니었어요. 책을 쓰며 낭독이라는 것에 대해 진지하게 생각해본 거죠.

기획 단계에서 '낭독' 콘텐츠를 정한 이유는 별다른 게 없습니다. 우리는 그냥 책 읽기를 좋아하는 사람들입니다. 가장 좋아하는 걸 하는 것이 가장 큰 강점이 된다는 점은 자명합니다.

우리는 책과 더 가까워지고 싶어요. 책이 우리 몸을 통과해 목소리로 빠져나가는 순간을 사랑합니다. 그것이 낭독 방송을 하는 이유이고 '어느 남녀의 책읽기'의 강점이지요.

팟캐스트
한번 해볼래요?
― 방송을 시작하기까지

J의 이야기

팟캐스트를 시작한 동기에 대한 질문을 많이 받아요. 거창한 포부가 있었다면 멋지겠지만, 방송을 시작한 이유는 무엇보다 심심했기 때문이에요. 무료한 일상 속에서 유일하게 위로가 되는 것이 있다면 책을 읽는 것이었죠. 책을 펼치는 순간 이 무료한 일상이 덮이고 다른 세상이 열리니까. 그런 세계를 소리 내어 읽고 기록한다면, 소리로 이 세상에 꺼내놓는다면 어떨까 생각했어요.

눈으로 활자를 읽는 것에 대한 피로도도 있었고, 좋아하는 구절을 계속해서 듣고 싶은 마음도 있었고요. 그럼 무료한 시간을 좀 더 즐겁게 보낼 수 있겠다 싶었죠. 그래서 생각한 것이 낭독 팟캐스트를 만들어보는 거였어요.

평소 '이동진의 빨간책방', '김영하의 책 읽는 시간'을 즐겨 듣고 있었어요. 하나에 꽂히면 거기에 빠져 있는 스타일이라 두 팟캐스트를 무한 반복해서 들었죠. 밤새 켜놓고 자기도 하고, 좋아하는 에피소드는 음악을 듣듯이 늘 재생해놓았죠. 그러다 내가 읽은 책 중 '듣고' 싶은 책이 생겼어요. 그 책을 내가 녹음해서 들으면 되겠다는 생각에서 시작해, 이왕 녹음한 것이니 파일을 공유하면 좋겠다는 데까지 이르렀어요. 그렇게 해서 팟캐스트를 해야겠다고 결심했죠. 사실 결심이랄 것도 없었어요. 단순 낭독을 하는 것이니 가벼운 취미 정도로 생각했으니까요. (시작하고 나서 생각보다 손이 많이 가는 '센 취미'인 걸 알게 됐지만요.) 무언가를 시작할 때 너무 심각하게 고민하지 않는 스타일이에요. 방송을 시작하겠다는 결심이 서자마자 머릿속에서 구체적인 기획을 하기 시작했어요.

방송을 누군가와 함께하면 혼자 하는 것보다 즐겁고 재미있을 것 같았어요. 남녀 진행자라면 듣는 입장에서도 흥미로울 것 같았죠. 책을 좋아하는 사람 중 목소리가 좋은 사람을 떠올리다가 오래 고민하지 않고 K에게 연락했어요. 평소에 목소리가 좋다고 느끼던 친구고 함께 책 이야기를 하며 친하게 지내는 오빠였거든요. 그래서 프로그램 제목까지 지어 가 운을 띄워봤죠. 심심하지 않아요? 팟캐스트 해볼래요? 라고. K가 장장 이틀의 고민 끝에 수락했어요. 일단 3개월만 해보자는 거였죠.

그렇게 '계약 방송'이 시작되었어요. 처음에는 휴대폰으로 대충 녹음하면 되겠지, 라고 안일하게 생각했는데 정식 방송이라 생각하고 들어보니 듣기에 거슬릴 정도로 잡음이 심하더라고요. 그래서 마이크를 알아보다가 나중에는 녹음실까지 찾아봤죠. 시작하기도 전에 일이 너무 커지고 있다는 생각이 들어 다시 초심으로 돌아왔어요. 노트북 달랑 하나. 그게 우리 장비 전부예요. 제가 포토샵을 대충 만질 줄 알아서(그림판으로 작업하는 수준이지만) 로고를 만들고, 편집도 해본 적 있으니까(붙이고 자르기가 편집이지!) 인터넷 검색으로 어찌어찌 잡음을 제거하고 나니 사람 귀가 인식할 수 있는 수준의 방송이 완성되더라고요. (첫 방송 전날에 밤을 새놓고 별것 아닌 것처럼 말하기는.)

첫 방송에서는 K와 J가 각자 원하는 소설을 소개하고 낭독했어요. 각자 녹음을 하고 파일만 이어붙이는 형식이었죠. K는 첫 도서로 박성원 작가의 「유서」를 낭독했어요. 저는 최은영 작가의 「쇼코의 미소」를 읽었고요. 당시에 너무 재미있게 읽었던 소설이라 꼭 소개하고 싶었거든요. 형식을 만들어 대본도 썼죠. 오프닝 멘트, 코멘트(제 나름의 작품 해설), 클로징 멘트까지 공들여 썼어요. 준비는 많이 했는데 긴장한 탓에 잔뜩 굳어 녹음을 했죠. 1회 방송이 나간 후 친구들에게 '로봇 낭독'이라는 놀림을 받았어요. 1회는 다시 들을 때마다 부끄럽기도 하고 웃기기도 해요.

막상 방송을 시작하니 팟캐스트라는 게 단순한 취미로 하기에는 품이 많이 드는 작업이었어요. 생각보다 시간과 에너지가 많이 소모되었죠. 그런데 그런 피로를 잊을 만큼 호응이 꽤 좋았어요. 누군가 우리 방송을 듣는다니! 청취율도 높아지고 후기가 속속 올라오니 더 잘하고 싶은 욕심이 생기더라고요. 편집과 낭독에도 익숙해지면서 방송의 방향이나 내용에 대해 이런저런 고민을 하게 되었어요. 본격적인 '어느 남녀의 책읽기'가 시작된 거죠.

K의 이야기

J가 팟캐스트를 제안했을 때, 사실 선뜻 동의할 수 없었어요. 저의 목소리를 알 수 없는 누군가가 듣고 또 그것을 저장하거나 소장한다고 생각하니 뭐라고 표현하기

이토록 멋진 활자의 세계를 소리로 기록한다는 것

어려운 기분이었거든요. 두렵기도 하고 이상하기도 하고 신기하기도 한 기분이랄까요. 스스로 저의 목소리가 듣기에 편하다고 생각해본 적은 없어서, 바로 대답이 나오지 않았어요.

J에게 말했죠. "우리가 낭독하는 걸 누가 들어요?"

책 읽는 것을 좋아하지만 낭독에 대해서는 엄두를 내지 않았었죠. 그런데 한편으로는 '한번 해볼까' 하는 생각도 있었어요. 저도 팟캐스트를 즐겨 듣는 사람이었거든요. 책이나 시를 낭독해주는 방송을 종종 들었어요. 저는 대부분 읽은 책 위주로 낭독을 듣는 편이었어요. 읽지 않은 책은 왠지 내키지 않더라고요. 읽고 나서 듣고 싶달까요.

엄청 고민을 했던 것 같아요. 책을 좋아하는 일과 낭독하는 일은 다른 일이고, 제 생각을 이야기한다는 것도 어렵게 느껴졌거든요. 또 누군가의 음성으로 책을 듣는다는 것이 버거운 일일 수도 있으니까요. 고민 끝에 딱석 달만 해보자고 J에게 제안했죠. 일단 석 달 해보고 방송을 더 진행할지 말지 결정하자고요.

원래 듣지 않던 낭독 팟캐스트도 듣기 시작했어요. 어떤 책을 낭독하는지, 어떻게 낭독하는지. J와 저는 각자가 정한 책을 낭독하는 방송으로 형식을 정했어요. 프로그램 이름은 J가 뽑아온 몇 가지 후보 중에 골랐고요. 녹음은 각자 집에서 하기로 했고 저는 마이크를 알아보기 시작했죠. 20만 원대부터 만 원 정도의 저렴한 마이크까지, 마이크를 놓고 며칠은 고민했던 것 같아요. 너무 저렴한 것을 사면 음질이 안 좋을 것 같고, 그렇다고 비싼 걸 사자니 정말 3개월만 할 수도 있으니 망설여지더라고요. 결국엔 가장 기본적인 것들로만 세팅하기로 했어요. 제일 저렴한 마이크를 구매해 집에서 테스트 녹음을 해보았어요. 휴대폰으로도 해보고 노트북으로도 해보고 여러 시행착오를 겪었어요. 그런데 웬걸, 소음이 너무 심하더라고요. 냉장고 소리, 창밖의 자동차 소리, 노트북의 소음……. 냉장고 코드를 뽑아도 보고 창문에서 제일 먼 구석으로 가서 녹음을 해보기도 했어요. 여름에는 에어컨이나 선풍기의 소음 때문에 전부 전원을

끈 채로 녹음을 하기도 했었죠.

다른 방송들을 보니 이메일이나 인스타그램, 혹은 블로그 계정을 다 가지고 있더라고요. 그래서 계정을 만들었어요. 인스타그램은 제가 관리하고 블로그는 J가 관리하기 시작했죠.

첫 도서는 박성원 소설가의 「유서」를 선택했어요. 별다른 이유는 없었던 것 같아요. 당시에 읽고 있던 책이었고 남자 화자에다가 독백 형식으로 되어 있어서 낭독이 수월할 것 같았거든요. 큰 오산이었죠. 소설의 내용과 독백으로 이루어진 문장들이 매우 감정적이어서 엄청난 연기력이 필요했어요. 진지하게 읽었던 기억이 나네요. 지금 들으라면 절대로 못 들을 것 같아요. 낭독한 뒤에 저의 감상을 말하는데 대본을 제대로 쓰지 않고 말해서 엄청 횡설수설하기도 했어요. 그 뒤로는 대본을 준비하거나 꼭 해야 할 말들을 정리해놓고 녹음을 해요. 책을 읽으면서 생각나는 것들을 적어두기도 하고요. 처음은 늘 서투른 법이니까요.

이것이 '어느 남녀의 책읽기'의 시작이었어요. 무작정 해보자고 했던 팟캐스트가 취미를 넘어서서 점점 일이 되기도 했고, 부담감을 안겨주기도 했지만, 동시에 즐거움을 느끼게 해주고 있어요.

고품격 낭독 방송이
되기 위해서

책 선정 이야기

책을 선정할 때에는 각자의 취향을 첫 번째로 고려합니다. 각자가 좋아하는 책을 읽는 것이 1순위니까요. 그러면서 K와 J의 개성이 드러나는 방송을 만드는 것이 목표죠. K와 J가 각각 선정한 도서와 배경음악을 쓰고 각자의 생각을 담은 멘트를 합니다. 청취자 입장에서도 다채로운 방송을 듣게 되니 재미있을 거라고 생각해요. 하지만 같은 방송으로서 최소한의 통일성을 유지하기 위해 책 선정 전 서로의 동의를 구하죠. 책 분위기나 내용이 한쪽으로 치우치는 것도 방지하고 방송의 톤을 맞추는 과정이라고 할 수 있어요.

그렇게 회의를 할 때마다 약 한두 달간의 방송 일정이 완성돼요. 그때 많은 대화를 하죠. '저번 방송에서 낭독이 빨랐다' '저번 방송에서 음악이 좋았다' '이번 방송에서 읽은 책이 반응이 좋더라' 등등 장단점을 말하며 방송의 완성도를 높이려고 노력해요. 서로 읽을 만한 책을 추천해주기도 하고, 청취자 신청 도서는 누가 읽을지 정하기도 하죠.

다음 일정을 꾸리면 바쁘게 준비에 들어가요. 방송에서 낭독하는 책은 되도록 사전에 완독하는 것을 목표로 해요. 그래야 할 말도 많아지고 애정도 담기고 감상도 깊어지니까요. 그렇지만 바쁠 때는 전부 읽지 못하고 낭독을 할 때도 있어요. 녹음과 편집을 한 뒤에는 서로에게 파일을 보내줘요. 방송 전에 마지막으로 검수를 하는 거죠. 그러면서 서로 독려하고 문제 될 만한 것들을 이야기해주기도 하고요.

방송 초기에는 실험을 많이 했어요. 사랑에 관한 글을 여러 책에서 발췌해 낭독하기도 하고, 한 작가의 여러 작품을 모아서 읽어보기도 했죠. 에세이의 좋은 문장이나 시를 모아서 읽어보기도 했고요. 이런 기획은 계속해서 고민 중이랍니다. 방송에 다양한 변화를 주기 위해서요.

서로 책 욕심을 내기도 해요. K와 J가 서로 읽겠다는 작품이 있었어요. 바로 알베르 카뮈의 『이방인』이었는데, J가 읽으려고 아껴두었던 책을 K가 먼저 읽겠다고 선언한 거죠. 누가 읽는 게 어울릴지 치열한(?) 회의를 거친 끝에 낭독의 주인공은 K가 되었어요.

K는 프랑수아즈 사강의 『브람스를 좋아하세요…』를 아껴두고 있었어요. 그런데 J가 먼저 읽겠다고 했죠. 또 기나긴 회의를 거쳐, 결국 『브람스를 좋아하세요…』는 J의 차지가 되었답니다.

좀 더 해볼까요?

초반에 방송을 진행할 때는 정신이 없었어요. 녹음 파일을 듣고 또 들으면서 틀린 부분이 없는지 계속해서 확인했거든요. 낭독도 편집도 서투르니 검수 과정이 오래 걸릴 수밖에요. 신청 도서를 받아보자고 결정하고도 불안했어요. 아직 방송이 자리 잡히지도 않았고, 유명인도 아닌데 누가 신청을 할까 의아했거든요. 다행히 2회 만에 신청 도서가 들어왔어요. 그 뒤로도 신청 들어온 도서는 최대한 읽어드리려고 노력하고 있어요. 저희 방송에 애정을 주는 분들이니까요.

점차 신청 도서도 많아지고 인스타에 후기도 늘기 시작했어요. 후기가 올라오면 그 즉시 서로 공유했어요. 신이 났죠. 진짜 누군가 듣고 있구나! 그럴 때마다 신기한 마음과 동시에 낭독을 더 잘해야겠다는 책임감도 생겼지요.

그리고 1년간 방송을 하게 만든 원동력 중 큰 부분이 바로 청취율입니다. 순위를 확인하고 팟빵에 올라와 있는 통계를 보면 많은 분들이 듣고 있다는 사실을 눈으로 확인할 수 있었죠. 그래서 계약 종료 시점이었던 3개월이 되었을 때, 좀 더 제대로 해보자고 결정했어요. 날이 갈수록 다운로드와 재생 수도 늘어나고 후기도 많아지면서 사람들이 우리의 낭독과 이야기에 귀를 기울여주고 있다는 것을 체감할 수 있어 너무 좋았죠.

청취자들의 일상 속에 우리 방송이 함께한다는 것은 감동이었어요. 출근하는 자동차 안에서, 아이를 보느라 책 읽을 시간이 없는 엄마의 일상에서, 쌀쌀한 퇴근길 버스를 기다리는 정류장에서, 일요일 어느 늦은 오후에, 그리고 잠들기 전에.

방송을 틀어두고 꿈나라로 가신다는 청취자도 있었어요. 그래서 끝까지 듣지 못했다고. 그 정도로 우리 방송이 편안하다는 증거 아닐까요?

시즌1 초반에는 이런 포맷이었어요. K의 낭독, J의 낭독을 한 파일로 묶어 올리는 것이었죠. 그러니까 한 회당 두 작품의 낭독이 들어간 거예요. 그리고 매주 방송을 하려고 했습니다. 엄청난 체력 고갈이 있을 줄 모르고요…….

매주 녹음과 편집을 반복한다는 것이 점점 힘에 부치더라고요. 퇴근 후에, 혹은 주말에 시간을 내서 방송을 준비한다는 것이 여간 힘든 일이 아니었어요.

그래서 중간에 포맷을 변경했어요. 한 방송에 한 사람이 한 작품을 읽기로요. 그렇게 방송을 진행하니까 방송이 더 정돈되고 깊어졌어요. 여유를 가지고 준비하니 퀄리티가 좋아지더라고요.

끊임없이 방송에 대한 아이디어를 내요. 그중 가장 뿌듯했던 것은 『냉정과 열정 사이』 낭독을 기획한 일이었어요. 남녀가 진행하는 낭독 방송이니까 이 장점을 살려서 한 편의 드라마 같은 방송을 만들어보자는 생각이었죠. 『냉정과 열정 사이』는 남녀 주인공의 사랑 이야기가 각자의 입장에서 서술되어 두 권의 책으로 구성된 독특한 작품인 만큼 우리의 기획 의도에 딱 들어맞았죠. 그래서 두 권의 책에서 내용을 발췌해 하나의 스토리가 있는 대본을 만들기로 했어요. 그건 J가 맡았어요. 두 책을 자연스럽게 엮기 위해서 공을 들였어요. 감정과 스토리를 모두 잘 살린 대본을 만드는 데 많은 시간이 걸렸죠. 녹음도 쉽지 않았어요. 애틋한 분위기를 살리기 위해 (약간의) 연기를 해야 했거든요. 둘 다 각자의 일이 있다 보니 시간을 맞추기도 힘들었죠. 각고의 노력으로 녹음을 마쳤어요. 대본은 J가 만들었으니 편집은 K가 했어요. 음악 선정에도 심혈을 기울였답니다!

반응은 뜨거웠어요. 워낙 인기 있는 책이고, 영화로도 잘 알려져 있다 보니 많은 분들이 관심을 주신 것 같아요. 방송을 통해서 책 속 러브스토리를 다시 한번 상기했다는 후기가 많았어요. 그래서 그런지 『냉정과 열정 사이』편은 '어느 남녀의 책읽기' 청취율 리스트에서 부

동의 1위를 지키고 있답니다.

그 뒤로도 여러 특집을 진행했어요. 『채식주의자』와 『백의 그림자』를 같이 낭독했고, 헤밍웨이의 인터뷰집 『헤밍웨이의 말』은 서로 인터뷰어와 인터뷰이가 되어서 낭독하기도 했답니다. 아직 안 들어보셨다면 지금 한 번 들어보세요!

시즌 2를 위한 한 걸음

J가 구성과 음질 등 방송의 질에 대해서 욕심을 냈다면 K는 인스타그램 홍보에 열을 올렸어요. 이왕 시작한 거 더 많은 사람이 들어주면 좋겠다 싶어서였죠. 그래서 K는 하트를 누르는 기계가 되었어요. 밤낮없이 하트를 누르다가 시력 저하에 이르렀다는 슬픈 이야기가 전해지기도 합니다. 이런 부수적인 일들까지, 방송에 할애하는 시간이 점점 늘어났어요. 그러다 체력적 한계에 부딪혔죠. 그래서 휴식 기간을 가지기로 했어요. '시즌1' 종

이토록 멋진 활자의 세계를 소리로 기록한다는 것

료. 새로운 시즌을 이어나갈 것인지 고민했죠.

결과는? '시즌2'를 이어나가기로 했어요. 기다려주시는 분들이 있었다는 점이 크게 작용했어요. 그리고 무엇보다도 이제 팟캐스트는 J와 K의 일상에 깊숙이 들어와 있었어요. 대신, 체력 고갈을 막기 위해서 한 달에 네 번에서 두 번으로 방송을 줄였어요. 그건 지금 생각해도 잘한 선택인 것 같아요. J와 K, 그리고 청취자들을 위해서도요.

팟캐스트의
즐거움과 괴로움

즐거움

'책을 소리 내어 읽는 것'은 여러 즐거움을 가져다줍니다. 나의 목소리로 활자를 읽어 내려간다는 건, 몸을 통해 하는 일이라는 의미에서 육체적인 행위예요. 그렇게 체화된 이야기는 몸속에 각인되지요. 그래서 낭독한 작품은 쉽게 잊히지 않아요. 어떤 책은 재미있게 읽었는데도 책을 덮는 순간 금방 내용을 잊어버리기도 하잖아요. 눈으로 읽은 활자는 머릿속을 맴돌다 사라질 때도 있지만 목소리로 읽은 활자는 몸속 어딘가에 저장되는 느낌이죠.

또 문장의 아름다움을 몸소 체험할 수 있는 기회입니다. 묵독할 때와 음독할 때 느낌이 다른 문장이 많아요. 완전히 새로운 책을 읽는 것 같은 경험도 하게 되고, 말의 맛도 느끼게 되죠. 특히 대사를 읽을 때나 시를 읽을 때 낭독의 효과가 극대화되는 것 같아요. 읽는 사람에게도 듣는 사람에게도요.

한편으로, 텍스트를 소리 내 읽으면 낭독하는 부분에 집중을 하다 보니 깊은 독서를 하게 됩니다. 또 편집을 하면서 녹음한 것을 계속해 듣게 되고, 그러다 보면 눈으로 읽을 때 미처 보지 못했던 것들을 발견해요. 주인공의 숨은 감정이 나타나기도 하고 소설이 품고 있던 중요한 상징이 드러나기도 하죠. 그럴 때면 땅속 깊은 곳에 묻혀 있던 보물을 발견한 기분이랍니다.

책을 낭독할 때 가장 어려운 점은 대화를 읽는 거예요. 특히 서술 없이 대화가 연속적으로 이어질 경우 듣는 사람이 화자를 구분할 수 있도록 신경을 많이 써야 하죠. 처음에는 대화 부분이 부담스럽기만 했는데, 할수록 연기하는 재미가 있어요. 우리 안의 숨은 연기 본능을 찾았죠. 우리끼리 서로의 연기에 감탄하기도 해요. 종종 기획 방송으로 K와 J가 역할을 나누어 남녀 주인공이 등장하는 소설을 함께 읽는데, 특히나 그럴 때 연기하는 재미가 쏠쏠하답니다.

처음부터 우리가 자기 목소리를 사랑한 것은 아니에요. 많은 사람들이 녹음된 자기 목소리를 듣는 것을 낯설어하고 부끄러워하죠. K와 J도 마찬가지였습니다. 편집할 때 가장 힘들었던 점이 자기 목소리를 듣는 것이었어요. 닭살이 돋아서 말이에요. 하지만 목소리에 점차 익숙해지고 목소리가 좋다는 칭찬도 듣게 되니, '음…… 이번 에피소드는 좀 괜찮은데?'라는 생각이 들기 시작했어요. 내 목소리를 조금은 좋아하게 되었죠. 나아가 이제 즐기는 경지(?)에 이르렀어요. 오늘은 20화를 들어볼까? 하며 내 목소리를 감상하기도 하죠. 황정은 작가의

『백의 그림자』를 낭독한 32화는 합동 녹음 후에 두 진행자 모두 만족스러워했던 방송이었어요. 주인공 은교와 무재를 각각 J와 K가 읽었는데, 작품의 분위기를 만끽하며 낭독했어요.

팟캐스트를 하면서 얻게 된 소중한 점 또 한 가지는 SNS를 통해 책을 좋아하는 분들과 소통할 수 있게 된 거예요. 그 전에는 SNS에 대해 부정적인 이미지를 가지고 있었어요. 허세와 행복을 전시하여 현대인의 삶을 피폐하게 만드는…… 뭐 그런 곳인 줄만 알았죠. 특히 J의 경우에는 싸이월드 미니홈피 이후로 SNS와는 전혀 무관한 삶을 살고 있었죠. 그러다가 '어느 남녀의 책읽기' 공식 인스타그램을 통해 정성스러운 후기도 받고, 책에 대해 이런저런 이야기도 나누게 되었어요. 책을 읽고 진솔한 감상을 올리는 게시물을 보면서 감동하기도 했지요. 책과 관련된 좋은 정보도 얻을 수 있었고, 책을 매개로 많은 사람들과 소통할 수 있는 창구가 되어주었죠. 그래서 지금은 SNS의 순기능을 알게 되고 그것을 잘 활

용하고 있습니다. (J는 개인 계정까지 열고 인스타그램을
누구보다 열심히 하고 있지요.)

또 팟캐스트를 하면서 다양한 분야의 책을 읽게 되었
어요. 사실 책 좀 읽는다는 사람들에게는 베스트셀러를
읽지 않는 이상한 오기 같은 게 있잖아요. 우리도 그런
게 있었거든요. 그런데 베스트셀러가 신청 도서로 들어
오고, 그 작품들을 낭독하면서 베스트셀러에 대한 편견
이 사라졌어요. 청취자분들께 소중한 배움을 얻었어요.
오만했던 거죠. 그리고 둘 다 소설 장르에 편중해 읽는
편인데, 방송을 위해 새로운 기획을 하며 시, 비문학 등
여러 장르로 독서의 폭을 넓힐 수 있었죠.

괴로움

글자를 있는 그대로 읽는 건 별일 아니라고 생각했어
요. 쉽게 할 수 있을 것 같았죠. 그런데 도대체 왜, 한글

을 눈앞에 두고 읽지를 못하죠? K는 마음이 앞서 읽다가 수십 번을 틀려요. 그러다 지쳐 녹음을 중단하기도 하죠. J도 다르지 않습니다. 집중이 안 돼서 읽다가 자꾸만 멈칫거려요. 다른 분들은 자연스럽게 쭉 읽어 내려가는 것만 같은데.

작품에 대한 코멘트도 쉬울 줄 알았어요. 생각나는 대로, 자연스럽게 말하면 된다고 생각했죠. 그런데 자신의 생각을 조리 있게 말하는 것이 생각보다 어렵더라고요. 정리도 안 되고 버벅거리고…… 대본을 안 쓰면 거의 재창조 수준으로 편집을 해야 하죠. (가끔씩 그럴 때면 셀카를 포토샵으로 고치는 '셀기꾼'이 된 것 같아 죄책감이 들기도 해요.)

친구들과 책에 대해 말할 때는 아무 거리낌 없이 자연스럽죠. 하지만 그것이 방송을 통해서 나간다고 생각하니 섣불리 말을 하기가 조심스러웠어요. 문학에 대한 공부를 더 해야 하는 것은 아닌지, 좀 더 전문성을 갖춰야 하는 것은 아닌지. 그래서 코멘트를 위해 조금이나마 자료를 조사하고 있어요. 책과 관련된 소소한 정보를 소개해드리기도 하고요. 사실 책을 읽고 나서 평론이나 책 정보를 찾아서 읽기란 귀찮은 일이잖아요. 그걸 저희가 대신 찾아 읽기도 하고, 작가의 일대기나 인터뷰 내용, 작품에 관련된 에피소드를 전달하기도 하죠. 찾기 어려운 정보는 아닌데, 흩어진 작은 조각을 모아서 전해드리니 흥미롭게 들어주시더라고요.

J는 가장 큰 어려움으로 편집의 괴로움을 꼽습니다. (나름) 완벽주의자인 J는 자기 숨소리가 거슬려서 단어와 단어 사이에 있는 숨소리를 잘라내요. 왜 나는 스스로를 괴롭히는 거지, 라고 생각하면서도 J는 오늘도 숨소리를 잘라내고 있을 거예요. 세상에서 가장 호흡이 긴 (?) 팟캐스터가 아닐까 자부하고 있답니다.

K는 비밀스러운 사람이에요. 자기를 드러내는 것을 꺼리는 스타일이죠. (그래서 J와 친구들 사이에서 K 범죄자설, K 유부남설이 돌기도 했어요.) 그러다 보니 방송을

하는 데 있어 K의 어려움은 자신이 너무 드러나지 않아야 한다는 것이에요. 팟캐스트를 시작할 때 가장 고민했던 부분도 자기 목소리를 공개해야 한다는 점이었고요. 오로지 '음성'으로만 청취자들과 만나야 한다는 생각으로 방송을 하고 있죠. 자기 생각을 말하는 것도 자신이 드러나는 것이기 때문에 멘트도 조심스러워요. 가끔 수다 방송을 진행할 때도 본인의 신상이 많이 드러나지 않도록 조심, 또 조심하고 있답니다. 진행자와 방송, 양쪽 모두를 위해서 선을 넘지 않으려고 노력하고 있어요.

개인 미디어에 대한
어느 남녀의 대화

K   팟캐스트를 하면서도 '방송을 한다'는 실감은 별
로 없었어요. 당연히 방송 플랫폼에 대한 역할이나 파급
력 같은 것도 생각하지 못했죠. 1인 미디어로 콘텐츠를
만드는 창작자라는 생각을 갖게 된 건 이 책을 제안 받
았을 때부터였어요. '개인 미디어 시대의 공통감'에 대
해 이야기해보자고 했을 때, 그때서야 우리도 창작자구
나, 새삼 깨달았죠.

J   저도 그래요. 방에 앉아 노트북 앞에서 혼자 녹

음하다 보니, 이게 방송이고 여러 사람이 듣는다는 사실을 순간순간 잊을 때도 많죠. 나 혼자 중얼거리고 있는 느낌이랄까요. 지난여름 방송 멘트로 '휴가철이라 텅 빈 서울에 계시는 분들 방송 들으며 잘 쉬시라'고 말한 적이 있어요. 나중에 방송 올려놓고 아차 싶었어요. 지방이나 해외에서 들으시는 분도 있다는 걸 깜빡한 거예요. 그만큼 청취자와 저 사이의 거리가 가깝게 느껴지기도 하고요. 아무튼 책을 쓰면서 우리의 정체성을 깨달은 셈이에요.

K 그리고 '1인 미디어'라는 말도 멀게 느껴진 이유가 있어요. 1인 미디어라고 하면 유튜브만 생각이 나거든요.

J 그런데 1인 미디어에 대해서 찾아보니까 싸이월드 미니홈피부터 블로그, SNS 전부 그 개념 속에 포함이 되더라고요. 많은 사람들이 이 통로로 정보를 얻고 사회적 공론의 장이 만들어지는 것은 마찬가지니까요.

K   그렇죠. 그런데 '미디어'라는 말을 들으면 콘텐츠를 통해 수익을 내는 것이라는 생각이 강했던 것 같아요. 유튜버들은 방송을 통해 바로 돈을 벌잖아요. 팟캐스트는 수익을 내기가 어렵죠. 오히려 얼마 전까지 호스팅 사이트도 창작자가 돈을 내고 사용해야 했어요. 돈을 내고 콘텐츠를 제공한 거죠. 이제 무료로 바뀌었지만요. 유료 팟캐스트가 있지만 많이 활성화되지는 않았고요.

J   맞아요. 미디어라는 말은 거창한 느낌이 있죠. 자본주의나 강한 파급력 같은 단어들이 떠올라요. 미디어라는 말에는요, 기술과 자본을 독점하고 있는 소수 기획자, 창작자들에 의해 위로부터 아래로 콘텐츠를 전달받는 그런 이미지가 있어요. 또 우리 세대까지 미디어-대중은 완전히 분리된 개념이었잖아요? 많은 변화가 일어나 지금은 누구나 창작자가 될 수 있는 시대지만 젊은 세대에 속하는 우리에게도 미디어란 아직 멀게 느껴지는 단어예요.

K   그런 의미에서 팟캐스트는 존재감이 약한 게 사실이에요. 미니홈피나 블로그, 페이스북, 인스타그램 같은 SNS 개인 미디어는 누구나 알고 직접 운영하는 사람들도 많죠. 유튜브 방송은 이제 어린 친구들 사이에서는 TV만큼이나 친숙한 존재가 되었고요. 팟캐스트는 스마트폰이 등장한 이후에야 차츰 성장하기 시작했으니, 아직도 팟캐스트를 한다고 하면 '그게 뭐야?' 하고 물으시는 분들이 많아요. 팟캐스트를 듣는다고 해도 유명인들이 진행하는 프로그램만 듣는 분들이 많고요.

J   아마 시각 매체가 아니라서 그런 게 아닐까요? 블로그, 인스타그램, 유튜브는 사진과 영상 등 시각적인 자극이 크잖아요. 청각 매체인 팟캐스트는 덜 즉각적이고 집중력도 필요하죠. 그래서 다른 미디어에 비해 무거운 느낌이 있는 것 같아요. 팟캐스트는 2000년대 초반에 등장해서 2016년에 대중적 플랫폼이 되었다고 해요. 우리나라의 정치적 상황 때문에 대안 언론으로 급부상한 거죠. 그래서 시사·정치 팟캐스트가 인기가 가장 많기도

하고요. 처음 주목받기 시작한 분야도 다소 무게감이 있네요.

K 팟캐스트가 대중화되기까지 '팟빵'의 역할이 컸던 것 같아요. 저도 팟캐스트를 접할 때 팟빵에서 시사 분야로 시작했어요. 그러다 낭독 방송도 듣고 '비밀보장'을 시작으로 코미디 분야 팟캐스트를 많이 들었어요. 한동안 중독 수준이었죠. 영화를 보고 그 영화를 다룬 방송을 듣고, 책을 읽고서 그 책에 대해 이야기를 하는 방송을 듣고요. 다양한 분야의 팟캐스트를 음악 대신 계속 틀어놓았어요. 언제 어디서나 부담 없이 듣기 좋으니까요.

J 그런 의미에서는 유튜브보다 팟캐스트가 접근성이 좋네요. 팟캐스트의 강점이죠. 아무데서나 들을 수 있고 다운로드하면 인터넷이 되지 않아도 들을 수 있는 데다 콘텐츠도 다양하고요. 창작자 입장에서는 얼굴을 공개하지 않아도 되니 익명성이 보장되고, 전문 장비나

기술이 없어도 누구나 자기가 하고 싶은 이야기를 마음껏 할 수 있다는 점이 편안하게 느껴져요. 만드는 이들한테도 접근성이 좋다고 할까요, 진입장벽이 낮죠.

K 그런 의미에서 저는 팟캐스트와 라디오 방송의 차이를 별로 못 느꼈어요. 새로운 미디어라는 생각이 없었죠.

J 맞아요. 요즘 대세인 미디어에 비하면 클래식한 느낌이 들 정도죠. 일단 팟캐스트는 녹음 방송이에요. 인스타그램만 해도 실시간으로 사진과 영상을 공유하고 댓글로 소통하거나, 라이브 방송을 통해 즉각적으로 채팅을 주고받잖아요. 팟캐스트도 방송 후 후기를 받고 SNS로 소통을 하지만 청취자들의 생각을 알고 반영하기까지 시간차가 있죠. 그런 시차가 가끔 낭만적이라고 느껴질 때가 있어요. 편지를 보내듯 천천히 소통하는 거니까요. 그래서 그런지 팟캐스트는 이용자 연령층이 높은 편이에요. 통계를 보면 우리 방송도 사십 대 청취자

가 압도적으로 많잖아요. 유튜브는 십 대가 많이 이용하고요. 종합해보자면 팟캐스트는 라디오 방송의 아날로그적 특성과 인터넷 매체의 편리성을 함께 가지고 있어 좋아요.

K   그리고 유튜브는 일부 선정적인 방송 이미지 때문에 부정적인 시선도 있죠. 한편으로 유튜브는 이미 거대한 산업인 것 같아요. 큰 회사들도 많이 진출하고 상업적인 측면이 강해요. 그래서 팟캐스트만이, 그것도 우리처럼 개인이 운영하는 소규모 팟캐스트만이 할 수 있는 일들을 생각하게 되네요.

팟캐스트와 문학 장르의 케미스트리!

J   요즘 우리를 포함한 많은 젊은이들이 친밀한 교류는 원치 않으면서도 사람들과의 소통에는 목말라 있어요. 슬픈 일일 수도 있고 개인주의에 따라 나타나는

당연한 현상일 수 있죠. 하지만 자기 관심사를 공유하고 소통하려면 사람들을 만나야 해요. 품이 많이 드는 일이죠. 그런데 팟캐스트가 손쉽게 그런 욕구를 충족시켜 주지 않을까요. 편안하게 들을 수 있고 정보와 재미도 제공해주니까. 정서적인 공감도요.

K 맞아요. 나만 책을 읽나? 하는 생각을 하다가도 팟캐스트를 듣다 보면 공통점을 발견하고 위안을 얻게 돼요. 실제로 만나지 않더라도 문화적으로, 감정적으로 연대가 이루어진다는 느낌을 받아요. 방송을 듣고 있으면 마치 편한 친구들과 책 읽고 수다를 떠는 것 같은 기분이 들기도 해요. 플랫폼 자체가 공영매체가 아니니까 말하는 데 제한이 적고요. 자유롭게 이야기하는 가운데에 편안한 분위기가 만들어지고 개인의 개성이 잘 드러나요. 그런 면에서 팟캐스트에서 문학을 다룬다는 건 문학에 더 많은 사람들이 쉽게 다가갈 수 있게 만드는 일이라고 생각해요. 문학, 소설이라는 게 고리타분하고 지루하고 어렵다는 생각이 많은데, 팟캐스트를 통해 낭독

하고 편안하게 이야기를 나누는 거죠.

J 특히 한국 문학은 어둡고 어렵다는 이미지가 강해요. 현대 문학은 난해하다는 생각도 많이 하는 것 같고요. 이런 생각을 문학 관련 팟캐스트가 많이 바꿀 수 있다는 희망을 가져요. 또 팟캐스트가 정치의 대안적 공론장이 되었듯이 문학에서도 그렇게 되면 좋겠어요. 어떤 소설은 내용 자체도 어려운데, 해설을 읽어보면 그 설명이 더 어려울 때도 많잖아요. 물론 문학의 학문적 가치도 소중하죠. 하지만 저나 K처럼 평범한 사람들이 그 나름의 해석을 말하고 공유하는 공간도 필요해요. 팟캐스트가 그런 대안적 공간이 되었으면 하죠. 사람들이 공감할 만한 감상과 해석이 많이 나오고 사람들이 그걸 접하면서 문학에 더 편안한 자세로 다가가, 즐겼으면 좋겠어요. 즐기는 가운데 다양한 담론이 형성되길 바라요. 1인 미디어를 통해 이야기를 한다는 것이 문학에 대한 논의를 풍성하게 만드는 방법이면서 우리가 거기에 일조를 하고 있는 점이 신기해요. 그래서 많은 분들이 도

전해서 더 많은 사람들이 문학에 대한 더 많은 담론을 만들었으면 해요. 아마추어리즘도 활성화되고 많은 비주류 담론들이 인정받았으면 좋겠고요.

K   우리 방송 말고 책에 대해 대화하고 토론하는 방송에서는 훨씬 풍부한 이야기들이 오가죠. 우리 방송은 책을 낭독하고 개인의 감상을 말하는 콘셉트니까요. 하지만 이렇게 진행자가 혼자 말하는 방송만의 매력도 많습니다. 대화 방송이나 토론 방송은 한 사람의 해석을 쭉 듣기 어려울 때도 있지만 우리 방송에서는 오롯이 한 사람의 생각을 차분하게 들을 수 있어요. 가끔은 책 소개와 낭독만 하고 방송을 마무리하기도 해요. 듣는 사람에게 여지를 두는 거죠.

J   우리가 청취자에게 화두를 던지고 빠진달까요. 그러면 청취자들이 생각하는 시간이 많아지고 적극적으로 독서하게 되는 장점도 있는 것 같아요.

K   네, 또 우리 방송은 차분하고 조용하기 때문에 수면용으로 그만이죠. 책을 듣다 잠드는 것, 낭만적이잖아요. 그런 의미에서 책과 팟캐스트라는 플랫폼의 '케미'가 정말 좋다는 생각이에요.

그럼 이제 앞으로

K   위에서 소설이 고리타분하다는 이야기를 했어요. 그 원인을 생각해보면 아무래도 책 하면 국어시간에 읽는 고전이나 근현대 소설을 떠올려서가 아닐까요. 그리고 주입식 해석 때문에 질려버리는 거죠. 그때부터 소설과 멀어지는 사람들이 많은 것 같아요.

J   소설이라는 장르 자체가 '과거형'이기 때문도 있는 것 같아요. 창작된 시점으로부터 몇 개월에서 몇 년 후에 작품이 나오기 때문에, 독자의 시점에서 작품이 만들어진 시점은 과거가 되잖아요. 그래서 동시대의 현실

을 반영하지 못한다고 생각하는 사람들도 많고요. 그런데 젊은 작가들의 작품을 읽으면 정말 실감나게 지금, 현재를 이야기하고 있어요. 앞으로 젊은 작가들의 소설을 많이 소개하고 싶어요. 또 고전에서 느껴지는 보편적인 인간의 감정도 청취자분들이 공감하실 수 있도록 많이 낭독하고 싶고요. 그런 감정은 오늘날에도 생생한 것이니까요.

K   인스타그램을 보면 젊은 작가 소설을 읽는 사람들이 꽤 많아요. 언젠가 방송에서 게릴라성 만남을 통해 책에 대한 이야기를 해봐도 재미있을 것 같아요. 언제 하게 될지는 모르겠지만요.

J   또 방송과 SNS를 통해 앞으로 문학을 중심으로 더 많은 소통을 할 수 있도록 고민할 거예요. 그렇게 문학적 소통이 가능한 장을 만들고 싶어요.

팟캐스터가 직업이 되는 세상이 올까

J　유튜브 방송을 진행하는 사람을 '유튜버' 혹은 '유튜브 크리에이터'라고 부르잖아요. 그런데 팟캐스트 진행자를 '팟캐스터'나 '크리에이터'라고 부르는 경우는 거의 없죠.

K　'유튜버'는 방송을 통해 돈을 버니까, 직업으로 인정받으면서 그들을 지칭하는 말도 자리를 잡고 있어요. 하지만 팟캐스터는 아직 직업이라고 부를 수 없죠. 위에서도 잠깐 언급했지만 수익이 거의 나지 않으니까 이름을 붙여주지 않는 것 같아요. 팟캐스트 청취를 통해서 수입이 발생하는 시대가 올까요? 팟캐스터가 직업이 되는 시대 말이에요.

J　수익이 나야 이름이 생기고 정체성을 인정받을 수 있다는 게 슬프기도 하네요. 미국은 팟캐스트가 엄청나게 활성화되어 있다고 하던데요. 장거리 운전을 하며

오디오북을 듣는 것에 익숙해서 팟캐스트도 자연스럽게 듣는다고 해요. 우리가 미국에서 낭독 방송을 했다면 유명 팟캐스터가 됐을 수도 있어요!

K   미국 시장에 대해 더 알아봐야겠네요. 하지만 우리나라는 도로가 복잡해서 오디오북이 발달하지 않았다고 들었어요. 스토리에 집중하기가 어려운 거죠. 우리 낭독 방송도 운전할 때 듣긴 어려울 것 같고. 평소에도 집중해서 들을 여유가 우리 삶에선 정말 부족하죠. 앞으로 많이 생각을 해봐야겠어요. 문학에 대해 낭독하거나 진지하게 이야기하는 팟캐스트가 수익을 내려면 어떻게 해야 할지. 아, 정말로 팟캐스터라는 직업을 갖는다면 꿈만 같을 거예요.
    팟캐스트도 음악 스트리밍 사이트처럼 결제를 해서 듣는 방식이 된다면 어떨까요?

J   저는 그건 반대예요. 스트리밍은 플랫폼을 배불리는 구조지, 창작자에게는 불합리해요. 유튜브와 같이

청취자가 직접 후원하거나 광고를 통해 수익이 창출되는 구조가 바람직한 것 같아요. 그렇게 팟캐스터가 직업이 된다면 그건 1인 미디어의 발전을 보여주는 지표가 되지 않을까요.

K   하지만 그런 식이라도 정말 유명한 팟캐스트가 아니면 수익이 거의 안 난다고 봐야죠.

J   그러니까 유명해집시다, K씨. (웃음) 책을 쓰면서 우리 방송에 대해 이렇게 깊은 고민을 해보네요. 미디어 자체에 대한 생각부터 문학 팟캐스트로서 나아가야 할 지점, 직업으로서의 팟캐스터까지. 이런 고민들이 '어느 남녀의 책읽기'의 도약을 이루어줄 것 같아요.

K   저도 책을 쓰면서 '어남책'을 돌아보았고 정체성을 찾은 기분이에요. 좀 더 책임감을 가지게 되었고요. 앞으로 열심히 방송하고 싶고요, 이렇게 진지한 태도로 임하고 있으니 팟빵에서 팟캐스터 자격증 같은 것을 만

들어 나눠주었으면 좋겠어요. 그럼 더 사명감을 가지고
할 텐데! (웃음)

어느 남녀의 책읽기
에피소드 리스트

1화 「쇼코의 미소」 최은영, 「유서」 박성원

2화 『너의 목소리가 들려』, 「사진관 살인 사건」 김영하

3화 신청도서 『나는 포옹이 낯설다』 로렌초 마로네

4화 사랑에 관한 글-신형철, 이중섭, 에리히 프롬, 오휘명 외

5화 신청도서 『슬픈 짐승』 모니카 마론

6화 「미래를 도모하는 방식 가운데」 김엄지, 『너무 시끄러운 고독』
　　보후밀 흐라발

7화 신청도서 「양의 미래」 황정은

8화 K가 읽은 시들-허연, 황인찬, 임솔아, 이제니, 백석

9화 『상실의 시대-노르웨이의 숲』 『바람의 노래를 들어라』 무라카
　　미 하루키

10화 신청도서 「달로」 한유주

11화 K가 읽은 에세이-양귀자, 김동영, 김병수, 하현

12화 J가 읽은 시-『당신의 이름을 지어다가 며칠은 먹었다』 박준

13화 『노인과 바다』 어니스트 헤밍웨이 (마지막 멘트 스포주의)

14화 『냉정과 열정 사이』 에쿠니 가오리, 츠지 히토나리

15화 『냉정과 열정 사이』에 관한 수다 (+Thanks to)

16화 신청도서 『언어의 온도』 이기주

17화 『헤밍웨이의 말』 어니스트 헤밍웨이

18화 「오직 두 사람」 김영하

문학은 안 팔리지만 우리는

•

잘 팔리는 문학회

잘 팔리는
문학회

대학생들의 문학 저변 프로젝트

팟캐스트
프로필

팟캐스트   젊은 문학 라디오, 잘 팔리는 문학회
팟캐스터   잘 팔리는 문학회 2기(정필, 은빈, 은지, 세은)
업데이트   매주 금요일
키워드   문학, 대학생, 문예창작학과, 낭독, 잡담
페이스북   @jalpalradio4seoultech
인스타그램 @best_selling_society

문예창작학과 학생들이 만드는 젊은 문학 라디오, 대학생들의 문학 저변 확대 프로젝트입니다. 현재 '잘 팔리는 문학회' 2기가 이끌어가고 있습니다. 오늘도 학교와 녹음실을 오가며, 문학이 잘 팔리는 그날을 꿈꿉니다.

"문학의 세대교체, 젊은 세대의 문학적 욕구를 보여주는 팟캐스트!"

어**

"문학에 대해, 또 그것이 말하는 세상과 사람들에 대해 고민하는

청년들이 있다는 것 그 자체만으로도 얼마나 큰 희망인지!"

맑**

대화 참여자 소개

*다소 과장된 캐릭터 설정에 유의하세요.

전정필(2기/진행자 겸 대본 작가/조금 말 많은 아재틱 이야기꾼)

김은빈(2기/카드 뉴스 마케터/상큼발랄 고유은빈/자타공인 휴강러)

주은지(2기/총무 겸 비디오디렉터/유튜브 꿈나무)

권세은(2기/오디오디렉터/세상은 살 만하다 믿는 게으른 글쟁이)

손은정(1기/구 패널, 현 게스트/걸어다니는 이모티콘)

젊은 문학 라디오,
잘 팔리는 문학회
— 그들은 누구인가

정필 안녕하세요, 청취자 여러분. 젊은 문학 라디오 '잘 팔리는 문학회' 진행자 전정필입니다. 오늘은 색다른 주제를 가져와봤습니다. 바로 저희가 책을 내게 되었다는 사실! 비록 한 챕터를 맡았을 뿐이지만 이렇게 저희를 소개하고 같이 이야기를 공유할 수 있는 기회를 얻은 것만으로도 참 뜻깊은 일입니다. 이 책의 한 챕터를 읽으시는 동안 저희와 함께 재밌고 유익한 시간 보내시기 바랍니다. 아차, 그럼 앞에서 독자 여러분! 이렇게 소개했어야 했나?

은빈 정필 씨, 서두가 왜 이리 길어요? 독자분들이 하품하시는 소리가 절로 들리네요. 앗, 흠. 하하, 안녕하세요. 저는 카드뉴스 마케팅, SNS 관리 그리고 '나태함'을 맡고 있는 김은빈입니다. 매번 입 털면서 '말'이라는 매개체로 소통하다가 이렇게 '글'로 잘팔문을 소개하려니 굉장히 부끄럽네요. 하하하.

정필 아하, 네. 역시 '고유은빈'이란 별명답게 맨 처음 소개를 해주셔서 고맙습니다. 은빈 씨처럼 열심히 팟캐스트를 이끌고 있는 다른 멤버들도 소개해볼까요?

세은 안녕하세요. 저는 오디오 편집을 맡은 권세은입니다. 시즌2가 시작되고 역할 분담을 할 때 부랴부랴 배우기 쉬운 역할을 찾다가, 노가다(?)인 오디오 편집을 맡게 됐습니다.

은지 안녕하세요! 주은지라고 합니다. 반가워요. 시즌2 팟캐스트에 비디오디렉터로 들어왔지만 게으른 탓

문학은 안 팔리지만 우리는

에 비디오(유튜브)는 아직 시작하는 단계에 있어요. 또 총무도 겸임하고 있어서 잘팔문의 재정 관리를 담당하고 있답니다.

정필 세은 씨는 오디오 편집이라는 중요한 역할을 맡고 있고, 은지 씨는 샘솟는 아이디어로 방송에 많은 지분(?)을 보유하고 있죠. 또 은빈 씨가 말씀해주셨다시피 SNS도 활발하게 하고 있고요. 다들 하나씩 자신이 부족하다고 말했지만 각자 자신의 자리에서, 또 팟캐스트의 패널로서 열심히 활동하고 있습니다.

저희는 '잘 팔리는 문학회'라는 이름을 걸고 팟캐스트를 진행 중입니다. 처음 들어보시는 분도 계실 거 같아요. 애청자가 아니라면 모를 희귀 정보를 알려드리자면, 저희는 서울과학기술대학교 문예창작학과 재학생들입니다. 따단! 이 팟캐스트에 몸담았던 그리고 담고 있는 팟캐스터들의 행보는 바로 그곳에서 시작됐죠. 저희는 대학교 1학년으로 재학 중이던 2017년에 무더위를 뚫고 마이크를 잡았습니다. 그때부터 팟캐스트 시즌 2를 이어오고 있죠. 하지만 그 전에, 시즌1이 없었다면 저희도 없었겠죠.

은빈 맞아요, 정말. 제가 잘팔문 팟캐스트를 처음 알게 된 건 재수생 시절 때였어요. 대학 원서를 넣으려는데, 처음엔 '서울과학기술대학교'와 '문예창작학과'의 조합이 어딘가 좀 못 미더웠어요. 그래서 SNS에 한번 검색을 해봤거든요? 그때 제일 먼저 뜬 게 바로 '젊은 문학 라디오, 잘 팔리는 문학회'였던 거죠. 과기대 문창과 재학생들이 진행한다는! 곧장 '문예창작과 학생들의 삶' 에피소드를 들어봤는데, 우와, 너무 재미있는 거예요. 주제를 다루는 솜씨나 입담들이 장난 아니었죠. 이게 내 또래들이 진행하는 라디오라는 게 믿기지 않았어요.

세은 저도 그랬어요! 본격적으로 대학 생활을 시작하려던 차에 선배들의 팟캐스트를 듣고, 이건 꼭 해야 돼, 이런 생각이 들더라고요. 뭐든 하고 싶다고 선배들을 쫓아다니던 게 엊그제 같은데 벌써 8개월이 넘도록 녹음을 했네요.

은빈   그러니까 말이에요. 시간 차암 빠르죠?

정필   잘팔문 팟캐스트가 여러분에겐 꿈꾸는 다락방 같았군요. 저희 팟캐스트를 듣는 많은 분들도 두 분과 같은 마음으로 응원해주셨던 게 아닌가 싶습니다. 하지만 어느덧 우리에겐 '체험 삶의 현장'이…… 하하.
   문학에 관한 이야기장을 펼쳐준 잘팔문 팟캐스트, 그 시작에 대해서 궁금하실 여러분을 위해 특별 게스트를 모셨습니다. 잘 팔리는 문학회 시즌1 초창기 멤버, 이분은 리액션이 풍부해 걸어다니는 이모티콘이라 불리기도 하죠. 손은정 씨를 모십니다, 박수!

은정   안녕하세요! (총총) 저는 팟캐스트 1화부터 참여했던 손은정입니다. 자랑은 아니지만, 주로 지각을 많이 담당했습니다. (웃음) 지금은 1기와 2기로 나뉘어서 시즌2의 활약이 돋보이지만 시즌1 또한 만만치 않았다고요. 물론 시즌1의 다른 멤버들이 군대에 간 상황이라 일개 지각쟁이 회원이었던 제가 잘팔문 팟캐스트를 소개하는 날이 다 오게 됐지만요.

'잘 팔리는 문학회' 팟캐스트는 사실 동명의 소설 학회에서 시작됐어요. 제가 1학년이던 2016년 여름이었죠. 시즌1 진행자였던 당시 학회장님이 모임 때 마트에서 마이크를 샀다며 소설을 낭독해보자고 했던 게 잘팔문 팟캐스트의 시초였지요……. (감성 폭발) 이름은 학회지만 사실 하는 활동들은 재미를 위한 놀이에 가까웠어요. 그날의 싸구려 마이크도 재미를 위한 장난감이었죠.

정필   저희 팟캐스트의 모토인 '진지 빨지(?) 말자'가 그런 과정에서 나온 거였군요.

은정   (큰 웃음) 그렇죠! 대중에게 잘 팔리기 위해선 재미있어야 하고, 재미있는 글을 쓰기 위해선 우리가 재미를 알아야 하지 않을까? 그런 뻔뻔한 생각이었죠.

　　세은　저희가 이 팟캐스트를 꾸려가는 방법에서도 그런 마음이 드러나는 거 같아요. 녹음비나 편집비도 백 퍼센트 멤버들의 사비로 운영되는데, 그럼에도 기꺼이 하는 이유는 그만큼 저희가 즐거워하는 일이라서 그래요. 개인적으로 제가 문창과에서 하고 싶었던 것은 공부뿐만 아니라 비슷한 것을 좋아하는 사람들과 많이 이야기해보는 것이었으니까요.

　　은지　일종의 잡담이라고 생각하면 편할 것 같아요. 전

문적인 이야기들보단 잡다하고 소소한 생각들을 나누는 것 자체가 방송이 되죠. 그래서 누구나 쉽고 재밌게 들을 수 있어요. 문학을 좋아하는 사람, 별로 큰 관심이 없는 사람, 아니면 비슷한 또래의 대학생, 청소년 등등 모두요. 선배들에게 바통을 넘겨받아 2기가 끌고 나가고 있는 팟캐스트지만, 우리의 목표는 언제나 같습니다. 문학이 잘 팔렸으면 좋겠어요. 요즘 인기 많은 마카롱처럼요.

정필 그렇다고 단맛만 취하자는 건 아닙니다. 제빵사가 맛있는 마카롱을 만들기 위해서는 부단히 연구하고 연습해야 하죠. 문학 역시 단순히 읽는 재미를 넘어 생각하는 재미가 있습니다. 저희는 읽고 생각하는 것을 통해 삶의 위로가 되고, 웃음이 되며, 때로는 물음이 될 방송을 하고 싶습니다. 항상 그런 마음으로 방송을 만드는 데 여러분께 잘 전달되고 있는지 궁금하네요.

은빈 꿈보다 해몽이네요, 하하.

사실 우린 아무것도 몰라요
─ 비전문가들의 야매 제작기

정필 독자 여러분, 잘 따라오고 계신가요? 본격적인 얘기는 이제부터 시작이랍니다. 이번에 나눠볼 얘기는 바로, 사실…… 우린 아무것도 몰라요, 입니다. 은정 씨가 말했듯이 2016년 여름날 장난 삼아 꺼내본 싸구려 마이크가 시작이었던 '잘 팔리는 문학회'! 이젠 더 이상 장난으로만은 얘기할 수 없는, 문학을 공유하고 때론 가지고 노는 팟캐스트 방송을 시작하게 됩니다.

은정 '창작실'이라 불리는 전공 교실에서 작품을 낭독했던 게 시작이었죠. 이기호 작가의 단편소설 「최순덕 성령충만기」가 가장 기억에 남는데요, 간단하게 말하자면 기독교인 최순덕이 바바리맨을 전도하는 이야기예요. 소재만 봐도 흥미롭지 않으신가요? 당시 1기 멤버들은 이 작품을 낭독하면서 어떤 믿음 같은 것에 스스로 충만해졌을지 모릅니다. 이거 재밌다. 잘 팔리겠다, 하는 믿음 말이에요.

정필 그때는 단출한 마이크와 핸드폰 녹음기가 다였나요?

은정 마이크에 녹음기가 부착되어 있는 기계였어요. 이렇게 말하니까 그 정도로 싸구려는 아닌 거 같네요. (머쓱) 하지만 모든 게 처음이라 그냥 부딪혀보자는 생각밖에 없었어요. '처음'이라는 것이 주는 힘이 있잖아요. 그게 쌓이고 쌓여서 성장하고, 2기 후배들에게 전해줄 무언가도 생겨났던 거죠.

정필 사실 2기 입장에서는 녹음 방송이란 걸 처음 하다 보니 두려움이 앞섰지만 그래도 안심되는 느낌은 있었어요. 차려놓은 밥상에 숟가락만 얹었다는 어느 배우의 말처럼요.

은빈 팟캐스트를 어떻게 하면 되는지, 팟캐스트를 하고 있으면서도 저희도 온통 모르는 것투성이였거든요. 아는 거라곤 그냥 문학 조금, 그리고 1기 선배들이 알려주신 오디오 편집 요령 정도.

정필 요령에 관한 얘기가 나왔으니 이참에 더 자세히 들어보면 좋겠어요. 세은 씨가 오디오 편집 과정을 좀 설명해주시죠.

세은 정말 거창한 게 아니라서 말하기 뭐한데요, 대신 시행착오라고 한다면 여러분이 조금은 궁금해하실 거 같네요. 먼저 녹음한 음성 파일을 가지고 편집을 할 때는 어도비 프로그램을 사용하는데, 이것도 물론 처음

해보는 거였어요. 저는 그 흔한 포토샵도 잘 다루지 못해서 컴퓨터로 무언가 만드는 일과는 거리가 멀다고 생각했는데 역시 사람 일은 모르는 건가 봐요. 처음에는 'ctrl'이나 'shift' 단축키도 잘 사용할 줄 몰라서 한두 시간짜리 녹음 파일을 편집하는 데 반나절이 넘게 걸리기도 했죠. 이제는 꼼수도 적당히 쓸 줄 알게 되었어요.

하지만 여전히 '응답 없음' 메시지는 왜 뜨는지, 왜 그때서야 틈틈이 저장해야 한다는 깨달음을 얻는지 의문입니다. 익숙해지면 편집하는 데 걸리는 시간도 점점 줄어들고 더 나은 녹음본을 들려드릴 수 있겠죠? 저는 오늘도 그날을 기대하며 지난주 녹음을 편집 중입니다.

은빈   세은 씨가 편집을 마치고 팟빵에 업로드하면 제가 만든 카드 뉴스를 잘팔문 공식 SNS 계정에 올려 홍보를 해요. 카드 뉴스는 저희 SNS의 메인 콘셉트라고 할 수 있죠. 보통 녹음을 마치고 집에 돌아가 포토샵을 켭니다. 해당 에피소드에 어울리는 이미지를 찾아 넣고, 제목과 내용 텍스트를 넣어 완성한 후 SNS에 올립니다.

그게 전부예요, 정말. 30분도 안 걸리죠.

정필 두 분 다 콘텐츠 제작을 위해 정말 수고가 많았 겠구나 하는 생각이 새삼 드네요. 이런 보이지 않는 노 력 덕분에 좋은 방송이 탄생하는 거죠. 카드 뉴스 또한 그의 연장선상이라고 봅니다.

음…… 방송 제작에 관해 좀 더 얘기를 해보면…… 그래도 저희가 매번 쉽게만 녹음을 하는 건 아니잖아 요? 그렇죠, 은지 씨? 네?

은지 그럼요! 그다지 체계적이지는 않지만요. (웃음) 저희는 보통 2주에 한 번 모여요. 전공 수업 후 강의실 에서, 동아리방에서, 창작실에서 회의를 합니다. 바쁠 땐 카톡으로 간단하게 회의하기도 해요. 각자 하고 싶은 이 야기나, 읽고 싶은 책에 대해서 얘기하죠. 소개하고 싶 은 책이 있다면 가져오기도 하고요. 그때 나온 이야기들 을 모아서 주제와 낭독할 책을 정합니다. 또 최근 사회 이슈도 잘 살펴보는 편입니다. 문학과 사회는 동떨어져는 것이 아니고, 우리가 몸담고 있는 이 사회가 곧 문학 속의 장면이 되니까요.

정필 그렇게 회의를 통해서 대본이 짜이고 녹음 일정도 정해지죠. 그러고 보니 제작 과정을 얘기하면서 하나 빠뜨린 게 있는 거 같아요. 대체 녹음은 어디서 하는 건가!

은정 그 얘기를 하자면 거의 『신드바드의 모험』을 방불케 하는데요. (기세등등) 저를 포함한 1기 멤버들의 열정은 어느새 마이크 하나에 의지하는 수준을 훌쩍 넘어섰었죠. 우리끼리의 재미에 그치지 않고 '문예창작학과 대학생 라디오'라는 큰 틀, 더 새롭고 다수가 공감할 수 있는 방송으로 발전시키기로 다짐했죠. 먼저 전문 장비가 있고 질 좋은 녹음이 가능한 곳을 검색해보기 시작했습니다. 쉽진 않았죠. 하지만 사비를 털어 녹음실을 빌리는 일, 지하철을 타고 먼 홍대의 '단팥 스튜디오'까지가는 길을 머뭇거렸다면 아마 지금의 잘팔문이 이 정도

로 성장하진 않았을 거 같아요. 또 2기들이 그걸 잘 이어가주고 있어서 고마울 따름이죠.

세은 저는 아직도 첫 녹음이 생각나요. 녹음실이 주는 긴장감과 설렘이 가득한 날이었죠. 마이크 중심부와의 거리에 따라 녹음되는 소리가 천차만별이라는 걸 그때는 몰랐어요. 방송을 들을 때 목소리가 들쑥날쑥하면 당연히 청취감은 뚝뚝……. 그래서 마이크에 대고 말할 때는 그 점을 신경 써야 하죠. 이제는 좀 적응이 돼서 다행이에요.

정필　저희 모두 점차 발전하고 있는 중입니다. 부족했던 게 활동하면서 조금씩 두드러지고, 그걸 고치기 위해서 계속 노력해야 하죠.

마지막으로 은빈 씨가 독자분들을 위해 방송 제작 과정을 간단하게 요약해주세요.

은빈　오케이, 좋아요!

팀 전체 회의를 하고 이번 화에 다룰 주제를 선정한다. → 녹음 날짜를 정하면 총무가 녹음실을 예약한다. → 대본을 맡은 사람이 간략하게 대본을 쓴다. → 정한 날짜에 모여 녹음을 한다. → 오디오 편집 담당이 녹음 파일을 편집해 '팟빵'에 업로드한다. → SNS 담당자가 카드 뉴스를 제작해 SNS에 업로드, 홍보한다. (부록 '팟캐스터의 매뉴얼' 참고)

이게 전부입니다. 팀으로 운영한다면 이 매뉴얼을 적용할 수 있을 테고, 개인 방송인 경우 생략 가능하거나 조금 다른 부분도 있을 거예요. 어쨌든 저희가 드리고 싶은 말씀은, 아무것도 몰라도 팟캐스트 '자알' 하실 수

있다는 겁니다. 그 대표적인 사례가 바로 저희 '잘 팔리
는 문학회' 아니겠어요?

공릉에서 홍대까지
— 대학생 팟캐스터로 산다는 것

정필 세 번째 주제로 넘어가 볼게요. '대학생 팟캐스터'로 지낸다는 것은 어떤 의미인지 저희 스스로에게 던져보는 시간입니다. '팟캐스터'가 팟캐스트 방송을 운영하고 진행하는 이들을 말한다면, 저희들 앞엔 색다른 수식어가 붙습니다. 바로 '대학생'이란 수식어.

세은 아까 말씀드렸듯이 저희는 서울과학기술대학교 문예창작학과 학생들입니다. 평일에 녹음을 하려면 수업이 끝난 저녁, 학교가 있는 공릉에서 팟캐스트 녹음실이 있는 홍대까지 가야 하죠. 지하철 노선도를 한번 봐주세요. 엄청나게 멀어요.

점필 그렇죠. 교통편에 대한 고충이 많죠. 다른 분들은 어떨지 모르겠지만 저희가 가는 스튜디오에 오시는 분들을 보면 팀마다 차 한 대쯤은 있으시더라고요. 은빈 씨는 어떠세요?

은빈 하아……. 저한테 제일 먼저 화살이 돌아올 줄 알았어요. 제가 또 팟캐스트에서 나태함을 맡고 있다고 말씀드리지 않았겠어요? 팟캐스터로 사는 게 마냥 좋을 수만은 없단 얘기입니다. 대학생이 사실 할 게 얼마나 많아요. 공부도 해야 하고, 아르바이트도 해야 하고, 연애도 해야 하고. 가끔은 정말 '개귀찮음.'

점필 아니 그 정도인가요? 팟캐스트를 사랑한다고까지 고백하셨던 분 아니었나요?

은빈 물론 그렇게 바쁘고 힘들면 왜 그만두지 않느냐 물을 수 있습니다. 그렇다고 포기할 수는 없는 게 바로 팟캐스트의 매력이라고 하면…… 때리실 건가요? 하하.

은지 은빈 씨 말이 맞아요. 힘들어도 그만큼 값진 일이 팟캐스트 활동이죠. 은빈 씨는 수업은 자체 휴강해도 팟캐스트 녹음은 꼭 참여하더라고요. 가끔은 스튜디오가 좀 더 가까웠으면, 하는 마음도 들지만 막상 "젊은 문학 라디오 잘 팔리는 문학회 시즌2!" 하는 오프닝과 함께 녹음이 시작되면 다들 집중하고 즐겁게 녹음을 한답니다.

세은 대학생에게는 누가 뭘 시키거나 하지 않기 때문에 자칫하면 게을러지기 쉽다고 생각해요. 책을 좋아하던 사람도 책을 멀리하게 될 만큼이요. 그래서 팟캐스트 때문에라도 꾸준히 책을 읽고 책에 대한 생각을 같이 이야기해보는 것이 제가 게을러지지 않게끔 도와줘서 좋은 것 같아요.

은빈　아무리 피곤해도 녹음실에 들어서고 녹음을 시작하는 순간, 특유의 포근하고 안정적인 느낌이 풍겨오면서 그간의 피로를 잊게 돼요. 이건 경험해본 사람만 아는 느낌일 거예요. 학교에서 하는 문학 이야기는 지루한 전공 공부로 여겨지지만, 녹음 중에 하는 문학 이야기는 제 취미생활이 되죠.

지난 한 해를 돌이켜봤을 때 팟캐스트 활동이 가장 마음에 남는 것 같아요. 팟캐스트 자체가 공부가 되고 스펙이 된다는 생각이에요. 교수님이 시켜도 읽지 않는 책을 팟캐스트를 위해서는 읽는다니까요.

정필　가끔은 시키는 것도 좀 읽어요.

은빈　개귀찮음.

은지　우린 아직 대학생인걸요. 조금 틀려도 괜찮고 가끔은 일탈해도 좋아요. 희망적인 이야기도, 어떨지 모를 미래도 거침없이 얘기할 수 있어요. 비록 모든 게 불

확실하고, 알바비로 녹음과 편집 비용을 마련해야 하는 대학생 팟캐스터이지만! 우리가 하는 이야기가 누군가에게 가닿는 즐거움을 멈추고 싶지 않아요.

정필 듣고 보니 제가 조금은 막혀 있었던 거 같아요. 대학생이라면 무언가 학문적인 태도나 책임감을 가져야 한다고 스스로를 압박했는지도 모르겠어요. 팟캐스트 활동도 저에겐 어쩌면 의무적인 대학 생활의 일부처럼 되어버린 건 아니었는지 자신을 돌아보게 되네요.

은정 하루하루 꾸준히 해나가다 보면 어느새 그런 날들이 차곡차곡 모여서 힐링이 되더라고요. 언제였던가, 문창과 진학을 고민하는 고등학생 청취자가 많다는 걸 알게 됐을 때가 생각나요.

정필 저도 고등학생 청취자분들이 기억에 많이 남아요. 특히 시즌1부터 들으신 분들 중에 고등학생층이 꽤 두텁더라고요.

은정　아마도 등단뿐만이 아닌 문창과만의 다양한 활동과 그에 대한 가능성을 보여줘서가 아닐까요. (자부심 뿜뿜) 사실 문예창작이라는 전공이 미래에 대해서 막막한 건 사실이잖아요. 그럼에도 불구하고 왜 우리가 이 자리에서 달리고 있는지 그 실체와 가능성을 잘팔문은 여실히 보여줬다고 생각해요.

정필　문창과 재학생으로서 그 부분에 있어서는 무기력에 빠지기 쉽죠. 함부로 재단할 수 없는 미래이니만큼 신중해지기도 하고. 그래서 더 민감해져야 한다고도 생각해요. 문학이 힘을 잃어갈 때 그 힘을 불어넣어주는 것, 현재 우리 앞에 놓인 삶을 문학으로 풀어내는 것이 잘팔문 팟캐스트의 목표이자 힘이니까요.

은빈　또, 저보다 똑똑한 다른 멤버들의 이야기를 들으며 견문을 넓히는 것도 하나의 재미죠. 제가 상상하던 지식인에 한층 더 가까워지는 기분! 하하, 그 쾌감에 저는 계속해서 팟캐스트를 하고 있답니다. 사실 졸업은 포

기해도 팟캐스트는 포기하고 싶지 않아요. (웃음)

세은 저는 문학 앞에 지식은 없다고 생각해요. 문학이란 건 무언가를 알려는 것보다 느끼고 나누는 게 중요하죠. 팟캐스트를 지금 하고 있거나 앞으로 하려는 분들이라면 다 이런 마음이 있지 않을까요? 느끼고 나누는 것. 지금 우리에게 가장 절실하고 필요한 것들이죠.

사실 아직도 잘 모르겠어요
— 행복, 슬픈 또는 웃픈

정필 잘팔문 팟캐스트를 얘기할 지면도 이제 얼마 남지 않았습니다. 방송으로 치면 녹음실 대여 시간이 얼마 남지 않은 거겠죠. 가끔씩 녹음실에 지각해서 시작이 늦어지거나, 하고 싶은 말이 너무 많아서 시간을 초과해버렸을 때, 녹음실 밖을 어슬렁거리시는 사장님 눈치를 볼 때와 비슷한 기분이 드네요.

이번에는 이렇게 사소한 기억도 좋고, 행복했거나 때로는 슬펐던 우리만의 추억이나 경험에 대해 얘기해보면 좋겠습니다. 아직 모든 게 익숙지 않은 우리, 사실 아직도 잘 모르겠어요!

은지 저요! 제가 먼저 말할게요.

정필 그렇게나 손을 번쩍? 하하, 좋아요. 먼저 행복한 기억에 관해 얘기를 해주시겠어요?

은지 행복한 기억은 아무래도 시즌2 첫 화를 녹음할 때 같아요. 그때 주제도 정말 마음에 들었거든요. 김금희 작가의 「너무 한낮의 연애」를 읽고 'N포 세대에게 사랑이란?'이라는 주제로 녹음을 진행했었잖아요. 그때가 2017년 여름, 1학년 여름방학이었는데 다들 팟캐스트를 처음 시작한다는 긴장감과 설렘으로 녹음할 때 알 수 없는 어떤 공기가 맴돌았었어요.

돌이켜보면 지금보단 확실히 더 미숙한 탓에 자꾸 산으로 가는 이야기만 한 것 같아 집에 돌아가 말을 곱씹어보기도 했어요. 처음으로 선배들 없이 진행한 녹음이라 걱정도 정말 많았거든요. 그런데 그 에피소드가 정말 반응이 좋았어요. 다들 뜻밖이라 놀라지 않았나요?

세은 첫 화를 녹음하기 전 회의에서 저희끼리 정말 재밌어한 주제이긴 했어도 그걸 청취자분들이 공감해줄까 걱정을 했었죠. 그때 깨달았어요. 역시 방송을 하는 우리가 먼저 신나고 재밌어야 듣는 이에게도 그 느낌이 전해진다는 걸요.

은지 적극 동감해요. 댓글에도 호평을 달아주신 분들이 많아서 더욱 실감했죠. 정말 뿌듯하고 즐거워서 그때 이후 회의에서는 다들 우쭐했던 거 기억나세요?

정필 성공적으로 시즌2 첫발을 딛고 나니 세상 한시름 놓였었죠. 휴, 참 다행이었어요. 가끔은 걱정을 단번에 털어버릴 듯 우쭐해진 날도 있고, 또 뭐가 있을까요?

세은 저는 댓글 중에 기억에 남는 게, 저희가 정지돈 작가의 「건축이냐 혁명이냐」를 설명하다 잘못 언급한 부분이 있었는데 그 부분을 고쳐주신 댓글이 있었어요. 이렇게까지 꼼꼼히 들어주는 분이 있다니! 더 많이 공부해서 발전된 콘텐츠를 만들어야지, 결심했던 게 생각나네요.

정필 사실 팟빵이라는 플랫폼이 갈수록 경직돼가는 것처럼 느껴질 때가 있어서, 이렇게 매번 방송을 해봤자 듣는 분이 계실까? 그런 의문도 들었었는데, 댓글들을 보면서 괜한 걱정이었구나, 안심하기도 한답니다. 팟캐스트 활동을 하면서 행복한 날도 있었지만, 이렇듯 각자 조금은 정체되고 침체됐던 시기도 있었을 거 같아요.

은빈 사실, 저는 예술가에 대한 막연한 동경심을 갖고 있어요. 이유는 별거 없고, 그냥 '간지'가 나니까요. 자신이 좋아하는 예술 분야를 통해 삶에 대한 고충과 애환을 표현하는 것. 쉽게 말해 인생살이를 글, 그림, 음악 등으로 표현하는 것. 얼마나 멋진가요. 제가 문학을 전공하게 된 이유 중 하나이기도 하고요. 그러나 제게 예술가 집단은 외집단이었어요. 저는 외부에서 그들을 관찰하는 관찰자밖에 되지 못했죠.

정필　외집단. 소외된 것들을 복원하는 문학 때문에 외려 소외되는 느낌을 받으셨군요.

은빈　팟캐스트 활동이 그 감정에 두 가지 상반된 영향을 줬던 거 같아요. 첫째는 공감하지 못하는 어느 순간에는 나 자신을 더욱 외집단에 속하게 했다는 것. 둘째는 그런 상황 속에서도 내가 결코 외부에 동떨어져 있지 않구나, 라는 생각을 갖게 해준 거예요.
　한번은 잘팔문이 '몹쓸'이라는 예술 창작 모임과 콜라보를 했었어요.

은지　저도 그 얘기 하려고 했어요! 공식적인 첫 게스트이기도 했고, 같은 또래의 타 학교 문창과나 예술계 대학생들이라 말도 잘 통해서 활기가 넘쳤죠. 같이 회의도 하고, 녹음을 마친 후에는 간단히 식사하면서 낮술로

맥주 한잔했는데 아주 즐거웠어요. 다들 비슷한 고민을 안고 사는 사람들이라서 그런지 진지하면서 유쾌한 얘기들이 많이 오갔었죠.

은빈　맞아요. 모두에게 뜻깊은 경험이었죠. 그때 녹음 중에 이런 말이 나왔어요. "우리 같은 사람들이 서로 힘을 모으는 일이 많아져야죠."

'우리 같은' ……나 같은 사람도 예술가인가? 관찰자가 아니라? 그때 알았어요. 팟캐스트라는 매체가 나를 예술가로 만들어주는구나. 예술가 집단은 나를 둘러싸고 있는 것이 아니라 내 안에 있구나. 한마디로 요약하자면 좀 거창하긴 하지만, 팟캐스트로 저는 꿈을 이룬 거예요. 저도 '간지' 나는 예술가라는 거죠, 하하하.

정필　끝까지 '간지' 나네요! (웃음)

우리 모두 청춘이란 부담을 가지고 살아갑니다. 지금 여기에 쓰인 우리들의 이야기가 별난 거 없으면서도 특별해지는 건 팟캐스트라는 재미난 창구 덕분이 아닐까

　　　　　문학은 안 팔리지만 우리는

하는 생각이 문득 듭니다. 비록 아직도 잘 모르겠지만, 조금 더 솔직해져도 좋다고 생각해요. 팟캐스트 말고도 여러분만의 재미난 창구를 찾거나 만들어가다 보면 세상이 좀 살 만해지지 않을까요?

다시 한번!
잘 팔리는 문학회
— 그때 그리고 앞으로

정필 잘 팔리는 문학회 팟캐스트! 마지막 주제는 '그때 그리고 앞으로'입니다. 벌써 막바지에 이르렀다니 아쉽기만 합니다. 그래도 대학생들은 어떤 노력과 과정을 거치고 있는지, 그 자리에 팟캐스트가 어떤 의미로 작동하고 있는지를 독자분들께서 같이 고민해주신다면 더 바랄 게 뭐가 있겠습니까.

세은 아직 못다 한 얘기가 많지만 남은 이야기는 팟캐스트로 여러분과 만나서 할 수 있었으면 좋겠어요. 그

문학은 안 팔리지만 우리는

래주실 거죠?

어렵게 고른 마지막 말은 팟캐스트가 저에게 있어 어떤 의미인가 하는 거예요. 저에겐 정말 고마운 존재인 거 같아요. 소비자로서는 접근성이 좋고, 누구나 생산자가 될 수 있는 매체이기 때문이죠. 앞서 얘기한 게스트 '몹쓸'과의 에피소드에서 "힙합은 장르의 특성상 관객과의 소통이 즉각적인데 이것이 문학이 추구해야 할 점이 아닐까?" 하는 이야기를 했었어요. 그 말에 전적으로 동감해요. 팟캐스트라는 매체를 통해 작가와 독자 간의 거리를 조금이나마 좁힐 수 있다는 것이 무엇보다 의미 있는 것 같아요. 문학이 정적인 매체인 만큼 이렇게 다른 매체를 통해서 그 생명을 이어갈 수 있었으면, 좋아하는 사람들이 꾸준히 즐길 수 있었으면 좋겠습니다.

정필 거기에 제 의견을 좀 더 보태본다면, 문학이 그 형태는 정적일지 몰라도 그것이 발현됐을 때는 그 무엇보다 역동적이라는 겁니다. 읽지 않으면 결국 그 힘도 잃어버리고 말죠. 그런 맥락에서 팟캐스트는 문학의 역동성을 발현시키는 하나의 장치로서 매력적인 플랫폼입니다. 비단 문학뿐만이 아니에요. 정치·사회, 생활, 코미디 등등 지금 팟캐스트에서 활약 중인 콘텐츠들의 활기는 거기서 오죠. 직접 하지 않으면 역동할 수 없는 것을 깨우기 위해서.

은빈 그래서 저희 팟캐스트가 진지할 수가 없어요. 한마디로 폼 잡지 못한다는 거예요. 그게 가장 큰 장점이자 매력이죠. '문학의 캐주얼화', 우리 팟캐스트가 그어려운 걸 해내고 있죠. 하하, 어때요, 좀 있어 보이나요?

정필 오오, 역시 고유은빈 씨 멋들어진 명사 만들기의 달인다워요. 좀 더 구체적으로 말씀해주시겠어요?

은빈 예를 들면, 저희 에피소드 중에 '19금 특집-오늘의 밤은 어때?'라든가 '급식체, 코인체 그리고 문법나치' 등을 말할 수 있을 거 같네요. '19금 특집' 때는 대놓고 야한(?) 작품을 읽으며 솔직한 이야기를 나누었고 '급식체, 코인체 그리고 문법나치' 때는 유행하는 언어문화를 다루었죠. 틀에 박힌 주제에서 벗어나려고 했어요. 진지해야 할 때는 진지하지만 굳이 문학을 내세워서 고리타분해지고 싶지는 않아요.

정필 저희의 방송 포맷이 1부와 2부로 나뉘는데, 1부는 주로 소설 낭독 그리고 작품과 주제를 연관 지어 얘기하고, 2부에는 은빈 씨가 들어준 예시처럼 문학과 관련해 고민해볼 필요가 있는 다양한 이슈들을 다루곤 하죠. 아아, 그리고 보니 은빈 씨는 2부에서 더 활기찬 거 같아요.

은빈 하하, 그런가요?

은지 다들 그렇죠. (웃음) 1부에선 밥을 먹는다면, 2부에서는 소화를 시키고 칼로리를 소모하기 위해 운동을 하는 시간이죠. 그 포맷에서 벗어날 때도 있지만요. 그때그때 놓치지 말아야 할 주요 이슈는 특집으로 다루는데, 그중에 가장 기억에 남는 건 '기억해야 할 비명 #Me_Too 운동' 에피소드예요. 대학가에서도, 문단 내에서도 계속해서 터져나오는 비명들을 들으며 화가 나고 슬펐어요. 유명한 문인이나 좋아하던 작가에 대한 이야기를 들을 땐 어떤 무력감에 휩싸이기도 했었죠. 하지만 누군가는 계속해서 이야기하고 기억해야 한다는 조금은 무거운 마음으로 이 특집을 기획하고 녹음했습니다.

우리가 내는 목소리가 어디로 흐르고, 어떻게 닿을 수 있을지는 모르겠어요. 그래도 누군가에게 작은 위로와 재미가 되었으면 좋겠어요. 우리는 기성세대가 얘기하는 풋내기에 지나지 않는 습작생이고 대학생이지만 이런 우리도 우리의 삶을 말함으로써 함께 외칠 마음이 있으니까요.

정필 저희가 달려온 길을 돌아보니 왠지 조금 먹먹해집니다. 긴 시간은 아니었지만, 많은 걸 느끼고 깨달았다면 길고 짧음이 중요한 건 아니겠죠.

저도 여러분 이야기를 듣다 보니 떠오르는데, '상처엔

문학을 발라주세요'라는 주제로 에피소드를 진행한 적이 있었죠. 세월호 참사를 다룬 최은영 작가의 「미카엘라」라는 단편소설로요. 시즌2에서는 다섯 번째 녹음이었을 거예요. 그때부터 녹음이란 것이 체감되고 자연스러워졌다며 서로를 다독였던 날로도 기억됩니다. 그날 나눴던 이야기들은 말 그대로 상처에 연고를 짜내듯 문학을 찬찬히 꾹꾹 짚어 읽고, 펴바르듯이 작품의 감정을 온전히 품에 안는 것이었죠.

함께 외친다는 게 어찌 보면 무책임할 수 있습니다. 그러나 도저히 감당할 수 없는 벽에 부딪쳤을 때, 그냥 잠자코 바라보기만 하느냐, 그건 아니에요. '할 수 없다'는 무력감 앞에서 그것을 새삼 인식해보아야 합니다. 그런 힘겨움을 딛고 목격자로서, 독자로서, 작가의 눈으로서 「미카엘라」를 읽게 돼서 소중한 시간이었던 거죠. 팟캐스트라는 이야기장이 없었다면 이 과정을 거쳐오기가 버거웠을 겁니다.

은정 저는 그저 신기해요. 팟캐스트를 유튜브 같은 사업으로 키워보자며 있지도 않은 주식을 운운하고 다들 사장, 이사장이 되자고 웃으며 떠들던 시즌1의 오목조목함이 기억나요. 그게 시즌2까지 이어져 벌써 구독자 천 명을 바라보고 있네요. (감격) 더욱더 발전된 모습을 보여주는 2기, 변치 않는 관심을 주시는 애청자분들 덕분입니다. (사랑 가득)

정필 하하, 맞아요. 함께한 선배들도 문득문득 떠오르네요. 음…… 앞으로 우린 어떻게 될까요?

은빈 그걸 알고 있다면 지금 우리가 당장 다음 주 녹음을 걱정하고 있지는 않겠죠? 하하.

정필 아직도 얘기할 것들이 넘쳐나죠. 그만큼 시간은 빠듯하고 걱정과 불안이 스며옵니다. 하지만 녹음하는 그 시간 동안은 어느 누구보다 쾌활하고 진솔해지는 우리. 때로는 진이 빠져서 허우적대면서도 청취자분들의 댓글에 힘을 내서 다시 열정적으로 임하는 우리. 아,

문학은 안 팔리지만 우리는

앞으로 우리는 어떻게 될지 모르겠습니다. 도대체, 무슨 각오, 무슨 희망과 기대를 가지고 살아야 하는지. 늘 고민하고, 사색하고, 서로 격려하고…….

은빈　정필 씨! 말이 너무 많아요.

은지　앞으로 우리가 가야 할 길은 아무도 몰라요.

세은　우리조차 모를 수 있어요. 몰라도 괜찮아요.

은정　그저 할 뿐이죠. 그저 즐길 뿐이에요. '잘 팔리는 문학회' 팟캐스트, 그 이름으로.

정필　……그저 할 뿐. 맞습니다! 그럼 우리, 함께 외쳐볼까요, 다시 한번.

모두　젊은 문학 라디오 잘 팔리는 문학회 팟캐스트! 여기서 인사드립니다. 감사합니다!

잘 팔리는 문학회

에피소드 리스트

부록

팟캐스터의 매뉴얼

영노자 × 세너힘 × 어남책 × 잘팔문

1
팟캐스트의 이해

팟캐스트가 뭘까요? 이 책을 집어 든 미래의 팟캐스터 여러분들께 실전 매뉴얼을 전하기에 앞서, 팟캐스트의 정체부터 알고 넘어가야 할 것 같아요.

팟캐스트는 신문을 구독하듯 인터넷을 통해 콘텐츠를 구독하는 서비스입니다. 주로 방송제작자가 라디오 방송을 녹음해 MP3 파일로 올리면 청취자가 인터넷에서 개인 오디오 플레이어로 내려받는 방식으로 이루어집니다. 내려받은 콘텐츠는 스마트폰, 태블릿 PC 등 스마트기기와 PC의 아이튠즈 프로그램, MP3 파일 등으로 청취가 가능합니다.

'팟캐스트podcast'라는 용어는 애플의 MP3 플레이어 '아이팟iPod'과 '방송Broadcast'을 결합해 만들어진 것으로, 아이튠즈를 통해 구독하고 아이팟으로 재생하는 초창기 특성 때문에 2004년 영국 기술 칼럼니스트 벤 헤머슬리에 의해 붙여진 이름입니다. 현재는 애플 IOS와 안드로이드 환경 모두에서 이용할 수 있게 정착되었고, 대표적인 국내 팟캐스트 서비스로는 '팟빵'이 있어요.

다른 온라인 미디어와 구별되는 팟캐스트의 특징은 사용자가 매번 미디어를 선택하거나 찾아 들어가는 방식이 아닌 배포-구독 모델을 통한 '구독' 방식이라는 점입니다. 청취자가 미디어 파일의 RSS(구독자에게 자동으로 업데이트 정보가 전달되는 배포 방식) 주소를 등록해두면, 최신 콘텐츠가 올라올 때마다 자동으로 배달해줍니다. 사실 팟캐스트 등장 이전에도 이러한 서비스는 존재했지만, 아이튠즈를 통해 널리 활용되고 이용자가 늘면서 팟캐스트가 콘텐츠 구독 서비스의 대명사가 된 것이죠.

팟캐스트가 처음 등장한 것은 2000년대 초반이지만 우리나라에는 아이폰이 유행한 2009년경부터 알려지기 시작해, 2011년 팟캐스트 '나는 꼼수다'의 등장 이후 이용자가 급격하게 늘어났습니다. 기본적으로 팟캐스트는 무료(일부 유료)이기 때문에 기존 방송사들은 초기에는 크게 반응을 보이지 않았으나 점차 팟캐스트의 영향력이 커지자 방송사들도 자사의 라디오 프로그램을 팟캐스트로 내보내고 있습니다.

팟캐스트에서는 개인이나 소규모 방송국도 인터넷에 연결된 PC와 마이크 등 간단한 장비만으로도 전 세계를 대상으로 방송을 할 수 있습니다. 즉, 누구나 쉽게 자신만의 라디오 프로그램을 만들 수 있는 것이 팟캐스트의 매력입니다. 바로 여러분도요. 2018년 현재 팟빵에 등록된 팟캐스트는 1만 9천 건이 넘습니다. 그만큼 방송 주제도 매우 다양해졌죠. 팟캐스트는 음악 위주였던 오디오 콘텐츠의 다양화에 기여했고, 앞으로도 계속 성장해 갈 전망입니다.

2
아이디어, 기획, 섭외

이제 본격적으로 팟캐스터가 되기 위한 첫발을 내디뎌 볼까요! 처음 팟캐스트를 시작하기 위해서는 결정해야 할 것이 많습니다. 어떤 주제와 콘셉트로 방송을 할 것인지, 누구와 함께할 것인지, 업데이트 주기는 어떻게 할지, 어떤 도구를 이용해 녹음하고 편집할 것인지 등을 정해야 합니다. 매력적인 방송 이름과 섬네일(로고)도 만들어야 하죠. 고민이 꼬리를 물고 등장하지만, 한 단계씩 진행해가는 재미가 쏠쏠한 일이기도 합니다. 처음부터 완벽하진 않아도 괜찮아요. 방송을 하면서 하나씩 천천히 해결해나가면 되니까요.

팟캐스트를 시작하기 전뿐만 아니라, 시작한 후에도 매 에피소드를 위해 아이디어 개발이나 기획 회의는 끊임없이 이루어집니다. 게스트 섭외를 위해 공을 들이기도 합니다. 분명한 것은 개인 미디어에 정답은 없다는 것. 답을 하나씩 찾아가는 과정 그 자체를 즐기려는 마음가짐만 있다면 충분해요.

번뜩이는 아이디어를 위한 소소한 팁

1. 자신의 취향 들여다보기

내가 하고 싶은 것이 즉 방송 주제로 이어집니다. 자신이 무엇을 좋아하고, 무엇에 대해 말하고 싶은지 끊임없이 생각하는 것이 가장 중요하겠죠.

2. 회의와 토론의 생활화

여럿이 만들어나가는 팟캐스트의 경우 자주 모여 아

이디어나 의견, 편집 방향 등을 이야기하고 적극적으로 토론할수록 이야깃거리가 풍성해집니다.

3. 청취자 반응에 귀 기울이고 소통하기

순위 변동이나 다운로드 수 등 통계 데이터를 분석하고, 댓글이나 SNS 등을 통해 청취자의 반응을 파악하는 것은 방송을 해나가는 데 있어 중요한 자료이자 지표가 됩니다.

게스트 섭외하기

전문적인 지식을 얻거나, 방송에 활기를 불어넣을 수 있는 좋은 방법 중 하나가 외부 게스트의 참여입니다. 섭외에 특별한 방법이 있지는 않지만, 평소에 레이더를 켜고 주변을 관심 있게 보고, 다방면으로 검색을 하며 게스트를 탐색해보세요. 어쩌면 주변 사람 중에 있을 수도 있고, 청취자가 게스트로 참여할 수도 있어요. 참여 방법

또한 직접 만나서 녹음하는 것 외에도 전화 연결, 음성 파일을 요청하여 받는 등, 다양한 형식이 가능합니다.

섭외를 제안할 때는 정중하고도 정성스럽게, 혼신을 다합니다(?). 자신의 팟캐스트를 잘 소개하고 어필하는 것은 기본. 어떤 내용으로 방송을 하고 싶은지도 간략하게 설명합니다. 팟캐스트에 따라 게스트에게 소정의 출연료를 주는 경우도 있지만, 정해진 것은 없어요. 출연이 확정된 게스트와는 녹음 전에 충분히 소통을 하는 것이 좋습니다. 주요 내용이나 질문 리스트를 보내주는 것도 좋은 방법입니다.

3
대본 쓰기

방송 콘셉트에 따라 대본이 꼭 필요치 않은 경우도 있겠지만, 일반적으로 방송은 대본에 기초해 진행됩니다. 팟캐스트는 자유로운 방송이므로 지나치게 형식에 얽매일 필요는 없지만 기본적인 틀마저 없다면 아무래도 방송을 안정적으로 끌고 가기가 어렵겠죠. 대본이 탄탄할수록 더 짜임새 있고 완성도 높은 방송을 만들 수 있어요.

대본을 쓸 때는 세세한 멘트를 쓰는 데 집중하기보다 방송의 전체적인 흐름을 짜고 주제에 맞는 질문이나 답변 내용, 관련 자료 등을 미리 준비하고 정리하는 과정이라는 것에 초점을 맞추는 게 좋습니다. 주제에 따라 이야기할 내용들을 세분화하여 항목별로 정리하고, 이를 적절한 순서로 배열하여 전체적으로 자연스러운 흐름을 만듭니다. 진행자가 있는 경우는 출연자에게 던질 주요 질문들을 일목요연한 문장으로 정리해둡니다. 이때 방송 전체 시간에 맞춰 시간이 적절하게 안배되도록 합니다. 그리고 언제 시그널이나 광고, 배경음악을 삽입할 것인지 등도 대본에 표시해둡니다.

대본 준비를 철저히 하더라도 막상 녹음에 들어가면 옆길로 새거나 예상치 못한 멘트가 나오기도 하고, 중요한 내용을 빠트려서 추가 녹음을 하게 되기도 해요. 하지만 어찌 보면 그런 것들이 팟캐스트의 매력 아닐까요?

또한 대본 단계에서 이루어지는 일 중 하나는 에피소드의 제목을 짓는 것입니다. 해당 편의 내용을 한눈에 보여주면서 흥미를 끌 수 있는 심플하고 재치 있는 제목을 지어보세요.

4
녹음하기

팟캐스트에는 전문적인 장비가 꼭 필요하지 않아요. 녹음 품질을 높이기 위해 스튜디오를 대여해 녹음을 하기도 하지만, 스마트폰이나 노트북 혹은 휴대용 보이스 레코더를 이용해 집이나 카페에서 간편하게 녹음하기도 해요. 실제 인기 팟캐스트들 중에도 전문적인 장비 없이 제작된 방송이 상당수 있습니다. 처음부터 기술적으로 완벽할 필요는 없으니, 자신의 상황에 맞게 시작하길 추천합니다.

스마트폰 녹음 시 아이폰 'GarageBand' 등 기본으로

내장된 앱을 사용해도 되고, 'DaRecorder', '곰녹음기'
등 다양한 녹음 앱이 나와 있고 또 조금씩 기능이 다르
니 받아서 테스트해보고 취향대로 선택해도 무방해요.

　참고로, 노트북이나 스마트 기기의 경우 충전기를 꽂
은 채 녹음하면 잡음이 심해지는 경우가 있으니 되도록
충전기를 꽂지 않고 녹음하는 게 좋아요. 또한 녹음 후
에도 편집 프로그램의 잡음 제거 기능을 사용해 잡음을
줄일 수 있어요.

녹음 장소는 되도록 방해받지 않고 소음이 없는 조용한 곳이 좋겠죠. 스터디카페를 이용하는 방법도 있어요. 함께 녹음하는 인원이 많거나, 고음질을 위해 비용을 들일 의향이 있다면 팟캐스트 전문 스튜디오의 녹음실을 대여해 이용할 수도 있습니다. 스튜디오의 경우 대개 녹음이 끝나면 녹음 파일을 이메일로 전송해주므로, 이를 내려받아 편집하면 됩니다.

팟캐스트 전문 스튜디오

단팟 스튜디오 danpod.modoo.at

몽팟 스튜디오(자몽 미디어센터) studiozamong.com

스튜디오 애플 studioapple1.modoo.at

스튜디오 잭팟 zakkpod.modoo.at

스튜디오 핫스팟 hotspod.modoo.at

카이트스퀘어 kitesquare.co.kr

5
오디오 편집하기

녹음이 끝나면 드디어 팟캐스트 제작 과정의 꽃(?), 오디오 편집입니다. 편집에 대한 두려움 때문에 팟캐스트를 시작하길 망설이는 경우가 많습니다. 편집에 대해 전문 지식이 없어도, 아니 아무것도 몰라도 괜찮습니다. 이 책의 팟캐스터들도 처음에는 그랬으니까요. 일단 뛰어들어서 해보면 생각보다 어렵지 않고, 여러 번 반복하다 보면 점차 익숙해집니다. 지금부터 팟캐스터들이 직접 몸으로 부딪혀 익힌 오디오 편집 가이드를 전수해드립니다. 단, 각종 꼼수에 유의하세요.

우선 사용하는 PC나 노트북에 오디오 편집 프로그램을 설치해야 해요. 다양한 프로그램이 나와 있는데 일반적인 기능은 크게 다르지 않으므로 마음에 드는 프로그램을 선택하면 됩니다. 참고로 '잘 팔리는 문학회'는 'Adobe Audition CC 2018'라는 프로그램을 사용해요. '영혼의 노숙자'와 '세너힘'은 'Audacity'를, '어느 남녀의 책읽기'는 'GoldWave'로 편집하고 있어요. 여기서는 Adobe Audition CC 프로그램을 기준으로 과정을 진행해 보겠습니다.

오디오 편집 가이드

스튜디오에서 녹음을 하게 된다면 마이크별로 나누어진 파일을 받게 됩니다. 각각의 파일은 해당 마이크 사용자의 목소리만 크게 녹음되어 있어, 편집 과정에서 하나의 파일로 합쳐야 해요. 처음부터 하나의 파일로 녹음한 경우는 이 과정(1~4)을 건너뛰면 됩니다.

팟캐스터의 매뉴얼

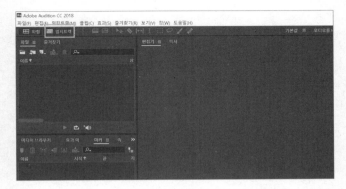

1. Adobe Audition CC 프로그램을 실행합니다. 위와 같은 화면이 나오는데, 좌측 상단의 '멀티트랙'을 클릭해주세요. [파일이 하나인 경우는 화면 중앙에 파일을 끌어다 놓은 후 5부터 진행하면 됩니다.]

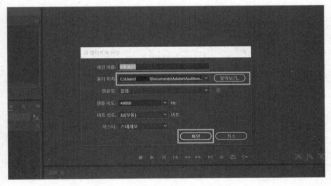

2. 위와 같은 창이 나타나면, 편집할 파일의 제목을 정하고 저장 위치를 확인한 후 '확인'을 눌러주세요.

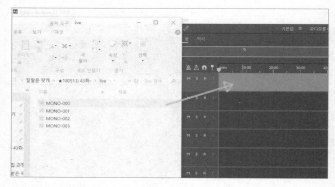

3. 트랙이 나타나면 편집할 파일을 각각 한 라인에 하나씩 차례로 드래그해옵니다. 이때 파일 시작점이 다르면 돌림노래가 될 수 있으니 왼쪽으로 바짝 맞춰서 끌어놓아 주세요.

4. 모두 옮기면 알록달록한 모습이 됩니다. 이 상태에서 좌측 상단 메뉴의 '멀티트랙→새 파일로 세션 믹스 다운→전체 세션 선택'을 차례로 클릭합니다.

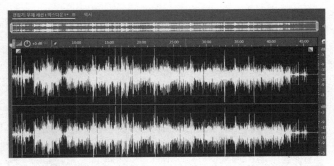

5. 파일이 하나로 합쳐지는 화면이 나타나고, 위와 같은 모습이 됩니다. 네 명의
   목소리를 한 파일로 들을 수 있게 된 것입니다. 녹색 선이 위아래로 길수록 큰
   소리입니다.

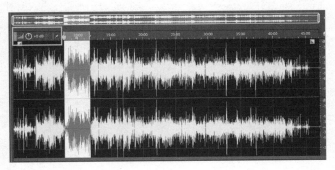

6. 내용 편집에 들어가기 전에 음량을 어느 정도 고르게 맞춰줍니다. 소리가 유
   난히 크거나 작은 부분을 클릭+드래그로 선택해주세요. 선택한 부분은 위와
   같이 흰색으로 표시됩니다. 네모 표시된 부분에서 원 안의 작은 막대를 클릭
   해서 오른쪽으로 드래그하면 소리가 커지고, 왼쪽으로 드래그하면 소리가 작
   아집니다.

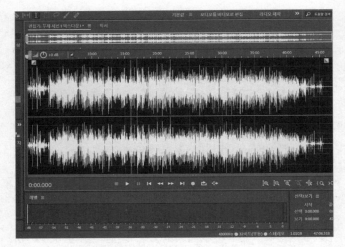

7. 6의 과정을 반복해 음량을 대강 고르게 만들었습니다. 이제 내용 편집을 시작
합니다.

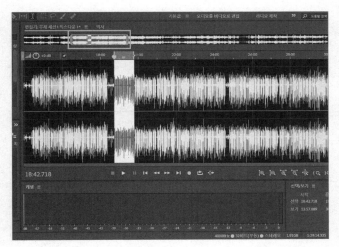

8. 녹음 파일을 들으며 편집할 부분을 찾아냅니다. 원하는 부분에 커서를 두고 마우스 스크롤을 올리면 그 부분이 확대됩니다. 위쪽 바를 보면 파일 전체 중 어느 부분을 편집 중인지 알 수 있습니다. 클릭+드래그를 통해 편집할 영역을 지정하고 단축키를 사용해 편집합니다.

   1) 클릭+드래그+del / backspace : 지정 영역 삭제
   2) 클릭+드래그+ctrl C : 지정 영역 복사
   3) 클릭+드래그+ctrl X : 지정 영역 잘라내기
   4) ctrl V : 복사하거나 잘라낸 부분을 붙여넣기
   5) ctrl Z : 되돌리기
   6) M : 현재 재생 중인 부분에 마크 남기기(편집하고 싶은 내용의 시작점을 표시해두고 한 번에 편집하면 편리합니다. 자판이 한글 상태일 때는 적용되지 않으니 그럴 때는 한/영 키를 눌러주세요.)

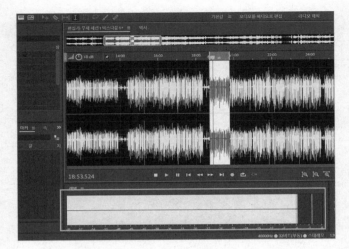

9. 파일을 재생하면 네모 표시 부분에 음량의 상태가 색상으로 나타납니다. 대체
   로 노란색~빨간색 정도를 오가는 것이 청취감이 좋은 편. 소리가 너무 크거
   나(빨간색이 많거나) 너무 작으면(초록색만 있다면) 다시 6의 방법으로 음량
   을 조절합니다.

팟캐스터의 매뉴얼

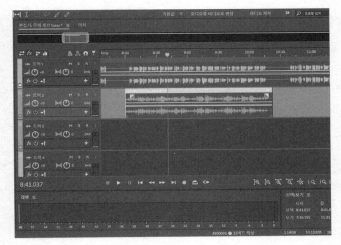

10. 음량 조절과 내용 편집이 끝나면(말로는 쉽지만 가장 긴 과정이죠) 필요에 따라 배경음악을 넣습니다. 곡을 불러온 후 양 끝 부분을 조절하여 원하는 분량만큼 삽입합니다. (곡의 길이 이상으로 늘어나지는 않으므로 그보다 길게 넣고 싶다면 한 번 더 삽입해야 합니다.)

11. '페이드인'과 '페이드아웃'을 설정하면 배경음악이 자연스럽게 깔렸다 잦아들 게 할 수 있어요. 배경음악 바의 양끝에 있는 작은 사각형을 클릭+드래그하여 설정해주면 노란색 선형으로 표시됩니다. 배경음악 삽입을 마친 후 다시 4번 과 같은 방법으로 파일을 하나로 합칩니다. 배경음악의 음량이 적당한지도 다시 한번 체크!

팟캐스터의 매뉴얼

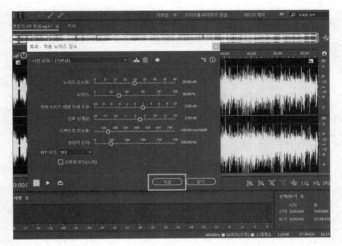

12. 편집이 거의 끝나갑니다. 마지막으로 음질 향상을 위해 노이즈를 감소시켜 줍니다. 상단 메뉴의 '효과→노이즈 감소/복원→적응 노이즈 감소'를 차례로 클릭하고, '적용'을 클릭합니다. 이제 파일을 저장하면 완성! 저장할 때 이것저것 묻는 창이 뜨면 모두 '예'를 클릭해도 무방합니다.

MP3 파일로 변환하기

편집 프로그램에 따라 WMA 등의 형식으로 저장이 되는 경우도 있습니다. 이 경우 녹음 파일을 업로드하려면 MP3 파일로 변환해주어야 하니, 'WMA MP3 Converter'와 같은 프로그램을 이용해 변환해줍니다.

무료 음원 받기 '유튜브 오디오 라이브러리'

저작권자의 동의 없이 음악 전체를 팟캐스트에 사용하는 것은 저작권법에 위배가 됩니다. '유튜브 오디오 라이브러리'에서는 저작권 사용료 없이 사용 가능한 무료 음원을 제공하고 있어, 배경음악을 삽입하고 싶을 때 유용해요. 곡마다 저작권의 범위가 다르니 확인해주세요. 음악이나 음향효과를 분위기별로 찾거나 검색해서 미리 들어볼 수 있습니다. 마음에 드는 음원을 오른쪽 화살표를 클릭해 PC로 내려받습니다.

6
방송 등록하기

편집이 끝난 파일은 청취자가 들을 수 있도록 팟캐스트 채널에 등록합니다. 이때 선택 가능한 여러 가지 팟캐스트 서비스 플랫폼이 있지만, 가장 대표적인 곳은 국내 이용자가 가장 많은 '팟빵'과 애플 기기 사용자들이 주로 이용하는 '아이튠즈', 두 곳입니다.

예전에는 포딕스 같은 호스팅(서버 대여) 사이트에 방송을 업로드한 후 팟빵, 아이튠즈 등에 등록하기도 했지만, 지금은 팟빵에서 호스팅 서비스를 함께 제공하면서 간편해졌습니다. 팟빵에 파일을 올리고 채널을 개설하면 곧바로 청취자들이 방송을 들을 수 있게 됩니다. 또 팟빵에서 제공하는 아이튠즈용 RSS 주소를 이용해 아이튠즈에도 손쉽게 자동 업로드가 가능하고요.

단 2017년 팟빵의 정책 변화 이후 외부 호스팅을 이용해 팟빵에 올리는 것은 현재로서는 불가능해졌습니다. 팟빵에 등록된 방송을 타 팟캐스트 서비스에 연결시키는 것 또한 아이튠즈만을 허용하고 있어요. 즉 '팟티'와 같은 다른 팟캐스트 서비스를 이용하려면 해당 사이트에 직접 등록해야 합니다.

팟빵의 정책에 대해서는 다소 견해 차이가 있지만, 어쨌든 가장 간단하면서 많은 팟캐스터들이 이용하는 서비스이니 팟빵을 기준으로 방송을 등록하는 방법을 설명해드릴게요. 그리고 아이튠즈에 연결시키는 방법도 알려드립니다.

팟빵에 방송 개설하고 업로드하기

1. PC에서 팟빵(http://www.podbbang.com) 사이트에 접속하고, 가입 후 로그인합니다.

2. '방송관리'를 클릭하면 '팟빵 크리에이터 스튜디오' 화면이 나타납니다. 상단 메뉴 중 '방송개설'을 클릭합니다.

3. 섬네일 등록, 방송명, 카테고리, 방송 소개 등 주어진 항목들을 채워넣습니다. 이때 방송 소개는 청취자에게 공개되는 부분이니, 방송에 대한 부가 설명을 적어주세요. 기입한 내용은 나중에 '방송관리'에서 수정이 가능합니다. 모든 설정을 마친 후 '방송 개설하기'를 클릭해 완료합니다.

4. 상단 메뉴의 '방송관리' → '에피소드 등록'을 클릭해 '파일 첨부'를 통해 녹음 파일을 올립니다. 이때 파일

팟캐스터의 매뉴얼

명은 영어와 숫자로만 이루어져 있어야 오류가 나지 않아요. 에피소드명과 소개를 적고 하단의 '등록'을 누르면 완료!

5. 처음 개설 시에는 하루 정도 승인 과정을 거쳐 채널이 생성되고 에피소드가 공개됩니다. 이후부터는 등록하자마자 곧 해당 채널에 업로드됩니다. 더불어 '팟빵 크리에이터 스튜디오'에서 방송 통계 자료도 확인이 가능합니다.

아이튠즈에 업로드하기

아이튠즈에 팟캐스트를 등록할 때도 서버(호스팅)와 RSS 정보가 필요합니다. 팟빵에 팟캐스트를 등록했다면 이미 해결된 셈입니다. 팟빵에서 제공하는 RSS 주소를 이용하면 되기 때문이죠. 간단하니 따라해보세요.

1. 팟빵에 에피소드를 등록했다면, 팟빵의 '팟빵 크리에이터 스튜디오'에 들어가서 '방송관리' → '방송 정보관리'에 들어갑니다. 여기서 오른쪽에 있는 'itunes RSS' 주소를 복사해둡니다.

2. PC에서 아이튠즈 프로그램을 실행하고 로그인합니다. 꼭 아이폰 사용자가 아니라도 아이디를 만들 수 있으니 아이튠즈 아이디가 없다면 만들어주세요.

3. '스토어' → '팟캐스트' → '팟캐스트 등록하기' 메뉴를 차례로 클릭해 들어간 후, 'RSS 피드 URL' 빈 칸에

팟빵에서 복사해온 RSS 주소를 붙여넣습니다.

4. 카테고리, 언어 등 항목을 기입하고 제출합니다. 승인까지 길게는 1주일 정도가 소요됩니다. 등록된 이후로는 팟빵에 에피소드를 올리면 자동으로 아이튠즈에도 반영되어 애플 기기의 '팟캐스트' 앱에서도 청취가 가능해집니다.

7
소통하고 홍보하기

여기까지 마쳤다면 여러분도 이제 어엿한 팟캐스터입니다! 그리고 이다음에 필연적으로 따라오는 것이 바로 '청취자 반응'인데요. 여러분은 어쩌면 "순위나 구독자 수 따위에 연연하지 않겠어!"라고 굳게 마음먹었을지도 모르지만, 팟캐스터가 된 이상 청취자들의 반응에 촉각을 곤두세우게 되는 것은 시간문제! 에피소드당 청취 수 변화에 희비가 엇갈리고, 댓글 하나에 천 번을 흔들려야 진정한 팟캐스터로 거듭날 수 있답니다(?). 물론 순위가 전부는 아니지만, 누군가 내 방송을 들어주고 있다는 것, 그리고 그런 사람들이 점차 늘어나는 것은 팟캐스터에게 기쁨과 보람을 가져다줍니다.

팟빵 사이트에서 카테고리별 팟캐스트 순위와 구독자 수를 확인할 수 있고, 팟빵에서 제공하는 방송 통계 자료를 보면 에피소드별·기간별 누적 청취 수를 비롯하여 청취자 성별과 연령 분포, 주로 듣는 요일이나 시간대 등을 파악할 수 있습니다. 이 자료들과 함께 팟빵과 아이튠즈에 올라오는 댓글, SNS 반응 등을 자주 들여다보며 어떤 청취자들이 어떤 식으로 나의 방송을 듣고 있는지를 알면, 앞으로 어떻게 방송을 이끌어가야 꾸준히 구독자들을 유지하고 더 늘려갈 수 있을지 어느 정도 판단 기준이 생기는 것을 알 수 있을 거예요.

잘나가는 방송을 만들기 위한 팁

1. 루틴을 파악하고 파고들기
통계 자료나 댓글 등을 꾸준히 보다 보면, 사람들마

다 팟캐스트 방송을 듣는 각자의 패턴이 있다는 것을 알 수 있습니다. 출근길에 운전하면서, 등교하는 지하철 안에서, 주말 저녁 잠자리에서 등등. 그 루틴을 파고들 어 나의 방송에 자리를 할애하게 하기 위해서는 일정한 업로드 주기, 일정한 분량과 톤을 유지해가는 것이 중요 합니다. 실제로 방송이 예정보다 며칠 늦게 올라오거나 평소에 비해 분량이 짧은 경우 청취 수가 뚝 떨어지곤 해요.

2. 약속 지키기

청취자들은 팟캐스트 진행자에게 내적 친밀감을 느낍 니다. 개인 방송이라고 해서 예고한 내용을 지키지 않거 나 제멋대로 운영한다면, 신뢰도가 떨어지고 청취자들 의 마음을 사로잡기 어렵겠죠. 반대로 약속을 지키며 믿 음직하게 이끌어가는 모습에 청취자들은 응원과 지지를 보낼 거예요.

3. 청취자 댓글에 답변 달기

팟빵 사이트에서는 청취자가 댓글을 달 수 있고, 거기에 팟캐스터가 답변을 달 수 있어요. 되도록 바로바로 댓글을 확인하고 청취 후기나 질문에 짧게라도 답변을 달려고 노력해요. 그러면 청취자들도 소통하는 느낌을 받을 수 있고, 방송을 한번 들어볼까 하는 사람들도 먼저 댓글을 읽어보는 경우가 많기 때문에 잘 관리되어 있으면 좋은 인상을 줄 수 있죠. 물론 악의적인 댓글은 상대할 필요가 없지만요.

4. SNS 운영하기

우리 팟캐스트가 참 좋은데 알릴 방법은 없을 때, 또는 방송을 듣는 청취자들과 더욱 가까이 소통하고 싶을 때 유용한 것이 SNS입니다. 많은 팟캐스터들이 SNS 공식 계정을 운영하며 팟캐스트를 홍보하기도 하고, 다음 에피소드를 예고하거나 사연을 모집하고 행사를 알리기도 하는 등 소통 창구로 적극 활용하고 있어요. 또 꾸준히 운영하다 보면 방송에 대한 기록이 차곡차곡 쌓이

며 SNS 계정 자체가 곧 팟캐스트 소개 자료가 되기도
합니다.

페이스북, 인스타그램, 트위터 등 SNS마다 운영 방식
이나 타깃층에서 조금씩 차이가 있으니 자신의 팟캐스
트에 잘 맞는 서비스를 택해 운영해보면 어떨까요.

잘팔문의 대학생 팟캐스터가 알려주는

SNS 사용법과 카드 뉴스 만들기 팁

'잘 팔리는 문학회'는 현재 인스타그램과 페이스북 계
정을 운영하고 있습니다. SNS를 통해 홍보도 하고 청취
자들의 반응도 살펴보고 활동 기록을 남기기도 합니다.
특히 예쁜 카드 뉴스를 만들어 올려 흥미를 이끌어내려
하고 있죠. 방송을 잘하는 것도 중요하지만 청취자분들
과 소통하고, 기록을 남기는 것도 팟캐스트를 해나가는
데 있어서 중요한 일이라고 생각해요. 대학생 팟캐스터
들의 SNS 사용법, 좀 더 자세히 알려드릴게요!

1. 페이스북

방송을 업로드한 후 가장 먼저 하는 일이 페이스북 페이지 '잘 팔리는 문학회 팟캐스트'에 알리는 일입니다. 그동안 만든 카드 뉴스 이미지를 모은 배경화면이 눈에 띄지 않나요? 페이스북 페이지는 '관리자'를 여럿 등록할 수 있어 멤버들 모두가 관리자로 등록되어 있습니다. 글과 사진을 올리고, 사연이나 신청 도서를 모집하는 공지도 올립니다. 피드 상단에 게시물 하나를 고정시키는 기능이 있어서 중요 게시물을 고정시켜두면 좋습니다. '라이브 방송' 기능을 사용해 녹음 중에 깜짝 방송을 하기도 해요.

2. 인스타그램

인스타그램은 시각적 효과가 높고 해시태그(#) 기능을 통해 즉각적인 노출과 검색이 쉬운 것이 장점이죠. 잘팔문은 공식 인스타그램 계정을 운영하고 있어요. 녹음하는 모습 등 일상 사진, 카드 뉴스를 올립니다. 물론 '#잘팔리는문학회' 태그는 필수입니다. 페이스북에 주로 공지나 안내할 사항을 올린다면 인스타그램은 좀 더 소소하고 일상적인 내용을 공유하는 창구로 활용하고

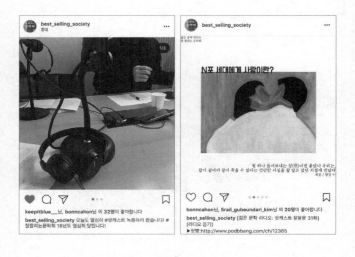

있어요.

3. 카드 뉴스

'잘 팔리는 문학회'만의 홍보 콘텐츠로, 매회 방송 주제에 맞는 카드 뉴스를 제작해 SNS에 올리고 있어요. 이미지를 통해 시각적으로 쉽게 팟캐스트를 홍보할 수 있고, 청취자들이 주제에 흥미를 가질 수 있게 도와주는 역할을 해요. 포토샵을 사용해 만드는데, 독학으로 익혀서 하고 있어요. 간단한 노하우를 알려드릴게요!

1. 포토샵에서 '새로 만들기'를 눌러 카드 뉴스를 만들 크기를 설정합니다. 보통 800×800 픽셀의 정사각형을 선호해요.

2. 포털사이트의 이미지 검색으로 주제에 맞는 이미지를 찾습니다. 풍경 이미지를 쓰기도 하고, 책 표지를 이용하기도 해요.

3. 찾은 이미지를 포토샵에 불러와 편집합니다. 이미지 위치를 조절하거나, 레이어를 추가한 후 레이어 형식을 이것저것 바꿔봐요.

4. 글씨를 넣고 효과를 입힙니다. 팟캐스트 이름과 해당 에피소드 제목, 주제를 담은 글귀, 책 속 문장 등을 넣어요. 이때 레이어 창에서 각각의 레이어를 더블클릭하면 '레이어 스타일' 창이 뜨는데, 이런저런 효과를 적용해봐요. 너무 어렵게 생각하지 말고, 그냥 무작정 눌러보면서 마음에 드는 스타일을 찾아나가면 돼요. 요즘에는 예쁜 무료 서체도 많으니 이를 활용하는 것도 좋고요.

5. JPEG, PNG 파일 등 이미지 파일로 저장합니다. PSD 형식으로 저장하게 되면 인터넷에 올릴 수 없으니 유의하세요. 여러 장의 카드 뉴스를 만들어야 한다면 첫 이미지에서 글씨와 이미지를 조금씩 수정해서 사용하면 간단해요.

너무 대충 만드는 거 아니냐고요? 복잡할 필요 있나요. 능력껏 하면서 즐거우면 되는 거죠. 자, 이제 완성된 카드 뉴스를 SNS에 올리러 가볼까요?

8
광고에 대하여

　팟캐스트는 기본적으로 무료 서비스로, 청취 수가 높다고 해서 수익이 보장되지는 않습니다(유료 콘텐츠로도 운영이 가능합니다). 하지만, 팟캐스트로 꼭 돈 벌지 말란 법은 없죠. 팟캐스터의 매뉴얼의 마지막은 팟캐스트를 통한 수익 창출에 대해서입니다.

　먼저 가장 단순한 방법은 팟빵의 '에피소드 후원' 기능입니다. 팟빵에서는 청취자가 유료 캐시를 충전하여 마음에 드는 에피소드에 보내는 방식으로 팟캐스트를 후원할 수 있고, 팟캐스터는 누적된 후원금을 수수료를 제하고 현금화할 수 있습니다. 또 팟빵은 자체 오디오 광고도 운영하고 있어요. 팟빵 오디오 광고를 설정할 시 에피소드 시작과 중간에 자동으로 오디오 광고가 나가고, 청취자가 이를 일정 시간(15초) 이상 청취할 시 광고 수익금이 발생합니다. 발생된 수익금은 팟빵 및 대행사와 팟캐스터가 50 대 50으로 분배합니다.

이와는 별개로, 좀 더 적극적인 형태의 광고인 외부 광고를 통한 수익이 있습니다. 외부로부터 광고 제안을 받아 이루어지며, 일반적으로 방송 주제와 연관이 있거나 방송 청취자층을 주 타깃으로 한 상품이나 서비스, 이벤트 등이 들어오기 때문에 팟캐스터 입장에서도 반가운 광고이기도 합니다. 광고 진행 방식은 업체로부터 오디오 파일을 받아서 에피소드 앞이나 중간에 내보내는 방식도 있고, 팟캐스터가 직접 광고를 녹음하거나 방송 중 멘트로 이루어지는 경우도 있는데, 이는 광고주와 협의하여 결정하면 됩니다. 광고 단가는 협의하기 나름이지만 방송의 조회수 등을 고려해 미리 어느 정도 기준을 정해두면 좋습니다. 예를 들어 주 1회 방송에 광고

1회 송출당 10만 원이라고 한다면, 한 달에 총 네 번의 광고 송출을 기준으로 40만 원, 3개월간 진행할 시 10퍼센트 할인, 6개월간 진행할 시는 20퍼센트 할인, 이런 식으로 기준을 정해두고 협의를 하는 것이죠.

대개 광고비는 선납 형식으로 진행하고 부가가치세(VAT)는 별도로 받습니다. 외부 업체와의 광고 진행을 위해서는 사업자등록증이 필요한데, 홈택스 홈페이지에서 생각보다 어렵지 않게 사업자등록이 가능합니다. 수익이 많지 않다고 해서 간이과세자로 등록하면 세금계산서를 발행할 수 없으니 일반과세자로 등록할 것. 광고비를 입금 받으면 익월 10일 이전에 세금계산서를 발행해야 하고, 이때 전자세금용 공인인증서가 필요하니 준비해둡니다.

덧붙여, 광고 제품이나 경품 등을 협찬 받아 청취자들에게 선물하는 이벤트를 진행하기도 합니다. 이때 이벤트 진행 방식이나 선물 전달 방법 또한 광고주와 상의하여 결정하면 됩니다. 이벤트 진행 시 공식 SNS 계정을 활용하면 편해요.

청취자층이 균질하고 충성도가 높으며, 광고 내용이나 형식에 대한 규제가 거의 없는 것이 팟캐스트의 장점입니다. 노출수나 광고 효과를 고려했을 때, 광고 단가도 낮은 편이고요. 앞으로 더 많은 광고주들이 팟캐스트에 관심을 기울여주시기를 기대합니다.

나는 내 팟캐스트가 제일 재밌다

영노자 × 세너힘 × 어남책 × 잘팔문

각기 다른 주제와 방식으로 이야기를 들려주고 있는 네 팀의 팟캐스터들에게 같은 질문을 던진다면 어떤 대답들을 듣게 될까요. 책의 에필로그를 대신해 마련한 작은 인터뷰 지면에 네 팀의 팟캐스터들을 불러 모았습니다. 편안하게 힘을 뺀 목소리들이 자연스레 어우러진 이 흐름 속에서 어떤 유익함 혹은 공통감을 만나게 될지도 모르겠습니다.

어느새 벌써 새해를 앞두고 있네요. 어떻게 지내셨나요?
새로운 소식이 있나요?

어남책＊J 회사 다니고 방송하다 보니 또 1년이 훌쩍 가
버렸네요. 내년에도 새로운 아이디어도 내고, 꾸준히 방
송하고 싶어요.

어남책＊K 항상 일 때문에 바쁘지만 책을 놓지 않으려고
노력하고 있습니다. 특히 올해는 책 만드는 일과 함께
뜻깊게 보낸 한 해였네요! 내년에는 휴식기를 잠시 갖고
시즌 3로 찾아올 계획이랍니다!

영노자＊맷 저는 '헤이메이트(황효진 기자, 윤이나 작가)'
와 함께 네이버 오디오클립에서 '시스터후드'라는 새 방
송을 시작했어요. 이제 일주일에 두 번 청취자분들을 만
나게 되어 무척 기뻐요. 아, 그리고 최근에 '성덕'이 되
었어요! 제가 녹음한 책 광고가 팟캐스트 '빨간책방'에
실렸거든요. 오래전부터 애청하던 방송에 제 목소리가
나오다니 감격…… 성덕 되는 방법도 정말 여러 가지인
거 같아요. 갑자기 올 한 해 정말 열심히 살았다는 생각

도 들었구요. (웃음)

잘팔문 * 정필　잘팔문 2기가 방송을 이끌어온 지 벌써 1년 반이 넘었네요. 거의 40회 분량의 에피소드를 꾸준히 내놓은 저희가 새삼 자랑스럽습니다. 새해를 맞아 이제 3기를 뽑아볼까 해요! 앞으로도 문학이 잘 팔릴 수 있도록 노력할 잘팔문이 다시 한번 새롭게 거듭나는 시간일 것 같습니다. 그때도, 많이 들어주실 거죠?

세너힘 * 김은지　팟캐스트를 시작하고 벌써 두 번째 맞는 새해네요. 지난 한 해를 어떻게 보냈는지 방송에 생생하게 담겨 있답니다. 추억 상자 같은 팟캐스트…… 사실 얼마 전에 보라 씨가 갑자기 "유튜브에도 도전해 볼까요?" 해서 "너~무 좋죠~!"라고 대답했어요. 과연 진짜 시작할지는 모르겠지만…… 혹시 『유튜버』 책도 만드신다면 무조건 시작하겠습니다. (웃음)

다른 분들의 이야기를 읽은 느낌은 어땠는지 궁금해요.

세너힘 * 김은지 너무 재밌었어요. 영노자 맷 님의 글은 마치 음성 지원되는 것처럼 빠져들었어요. 어남책 팀은 고운 성품을 가진 분들의 이야기를 듣는 듯 마음이 잔잔해졌고, 잘팔문은 출연자가 많은데도 각자의 개성이 드러나서 희곡 한 편을 읽는 느낌이었어요. 그리고 저희 말고는 동네책방 얘기를 하신 분이 없어서 조금 안심했어요. 후후.

어남책 * K 각 방송의 색깔이 글에서도 묻어나는 게 신기했어요. 인원도 다르고, 다루는 주제도 다르지만 각자가 지닌 성향이 글에서도 나오는 것 같아요. 특히 맷 님의 글은 한 사람의 인생을 읽은 기분이었어요.

영노자 * 맷 일단 혼자서 분량 채우기가 쉽지 않다는 걸 뼈저리게 느꼈고요. (웃음) 서로 다른 콘텐츠를 다루고 있지만 고민하는 지점이 비슷하다는 느낌이 들어서 동지애(?)를 느꼈어요. 크든 작든 팟캐스트로 인해서 삶에 변화가 생긴 점도 흥미로웠고요.

어남책 * J 저 역시 한 번도 만난 적은 없지만 동료의식을 느꼈고, 더 열심히 해야겠다는 자극도 받았어요.

잘팔문 * 정필 거대 미디어가 다루지 못한 우리 시대의 숨은 이야기들이 팟캐스트로 넘어와 있는 것을 다시 한번 느낄 수 있었던 것 같아요. 저희 팀과 더불어 다른 팟캐스트 진행자분들도 그 빈틈을 메우고, 대변하고 계시는구나 생각했죠.

2년 넘게 해오신 팀도 있고, 최근에 50회를 넘긴 팀도 있군요. 초반에 올렸던 에피소드를 다시 들으면 기분이 어떠세요? 처음과 지금은 많이 달라졌나요?

어남책 * J 어색하고 부끄럽기도 한데 재미있어요. 저 스스로 '많이 컸다'라는 생각도 하고요. 흑역사지만 재미있어서 이따금씩 듣고는 합니다. 그리고 그때와 지금을 비교해보면서 방송이 얼마나 나아졌는지, 혹은 부족해지지는 않았는지 고민도 해봐요. 새로운 시도를 해보고 싶은데, 본업이 있다 보니 쉽지 않네요.

어남책 * K 전 초반에 올렸던 에피소드는 거의 듣지 않아요. 정말 들어줄 수가 없을 정도로 어색하고 투박하더라고요. 지금은 능숙하다는 건 아니지만, 그래도 조금씩 여유가 생기는 것 같아요.

잘팔문 * 정필 잘팔문의 초반이라면 30화까지 진행해온 1기 선배들의 방송이에요. 소재의 다양성이나 흥미도는 1기 방송이 더 뛰어나요. 언제 들어도 날카로운 대목에 뜨끔하곤 하죠. 다만 기획력이나, 새로운 시도는 2기의 특징인 것 같습니다. 너무 자화자찬인가요?

영노자＊맷 초반에는 제 중심이었다면 이제는 게스트 중심으로 많이 바뀌었어요. 이 인터뷰를 하느라 오랜만에 1화를 들어봤는데 뭔가 들떠 있는 게 느껴져서 귀엽더라고요. 지금은 다이내믹한 한국사회에 지쳐서 초반의 하이텐션이 좀 떨어지긴 했지만, 그래도 매회 게스트와 함께하는 게 즐거워요.

세너힘＊김은지 초반 에피소드를 들으면 참 열심히 했었구나, 생각이 들어요. 자체 광고도 만들어 넣고, 일면식도 없는 출판사 사장님 인터뷰를 하겠다고 무작정 섭외 연락을 드리고…… 어떻게 그렇게 했는지 모르겠어요, 하하.

홈레코딩을 하시는 분도, 스튜디오를 이용하시는 분도 계시죠. 어떤 장단점이 있나요?

영노자 ＊ 맷　홈레코딩은 음질은 조금 떨어지지만 아무래도 편한 장소에서 마음 놓고 녹음할 수 있다는 게 장점이에요. 스튜디오는 확실히 음질이 좋죠. 대신 일부러 찾아가야 하고, 예약 시간 끝나간다고 녹음실 문에 알림 메시지가 붙으면 엄청 초조해져요. 한번은 클로징 멘트를 까먹은 적도 있어요.

어남책 ＊ K　홈레코딩이라고 하니 좀 거창하게 느껴지지만, 장점은 역시 낭독 욕구가 생기면 언제든 녹음을 할 수 있다는 점이겠죠? 편하고, 돈도 들지 않고요. 단점은 그 낭독 욕구가 외부환경들 때문에 점점 인내심으로 바뀐다는 거죠. 항상 수많은 소음의 공격을 받습니다. 냉장고, 에어컨, 선풍기, 경적 소리, 빗소리 등등 소음을 단절시키거나 멈추길 기다려야 하죠…….

어남책 ＊ J　저는 홈레코딩이 팟캐스트에 잘 어울리는 방식이라고 생각해요. 누구나 쉽게 방송을 할 수 있다는 게 팟캐스트의 강점이잖아요. 하고 싶을 때 녹음을 하고, 듣는 분들도 편안하게 들어주시고. 그런 게 매력 같아요. 스케줄에 얽매이는 걸 싫어해서 이런 자유로운 방식이 성격에 맞기도 하고요.

잘팔문 * 정필　저희는 홈레코딩 경험이 없지만, 다른 방송을 들어보면 확연히 알 수 있어요. 스튜디오 녹음에 익숙하다 보니 처음에는 잡음이 심하다는 단점부터 보이더라고요. 하지만 홈레코딩 방송을 들으면 들을수록 뭔가 생동감이 넘친다고 할까요? 마치 그 공간에 같이 있는 듯한 느낌이 들곤 해요.

세너힘 * 김은지　저희는 이번 주에도 책방 레코딩을 했는데요, 녹음을 시작하자마자 조용하던 책방에 손님이 계속 들어오셔서…… 이번 편집도 쉽지 않을 것 같네요. 그런 단점은 있지만 원하는 장소에서 마음껏 녹음할 수 있다는 건 큰 장점 아닐까요?

다음 에피소드에 대한 주제나 아이디어는 주로 어떻게 정해지나요?

어남책＊K J와 만나서 약 두세 달치 낭독할 책을 정합니다. 대중적인 책과 비교적 덜 알려진 책, 해외 문학과 한국 문학으로 플랜을 짜기도 하고요. 계절과 어울리는 책을 선정하기도 합니다. 아이디어는 평소에 각자 책을 읽으면서 서로 공유해요.

어남책＊J 그러니까, 주제나 장르 등이 한쪽에 치우치지 않도록 균형을 잡는 거죠. 청취자분들이 질리지 않게 다채로운 구성을 하려 노력하고요.

잘팔문＊세은 저희는 모두 같은 학교, 학과지만 은근히 시간 조율이 어려워서 주로 전공 수업 시작 전후에 모여서 이야기를 나눠요. 자유롭게 떠들다 보면 '이거 재밌겠다!' 하는 주제가 나옵니다. 뜬금없는 발상이 아이디어로 이어지기도 하죠.

세너힘＊김은지 다행히 저희는 주제와 아이디어를 짜는 데 큰 어려움은 없습니다. 왜냐하면, '세상엔 좋은 책이

너무나 많다, 그래서 힘들'기 때문입니다. (웃음)

영노자＊**맷**   평소에 관심 있는 주제나 게스트로 모시고픈 사람들을 늘 생각해요. 지금도 생각해둔 아이디어가 한가득이에요. 한편으론 트위터 덕분인 것 같기도 하고⋯⋯ 그래서 트위터를 못 끊어요. 트위터 끊으면 행복지수가 좀 높아질 것 같기도 한데 말이죠.

가장 기억에 남거나, 추천하고 싶은 에피소드를 고른다면 요?

세너힘＊김은지 모든 에피소드가 주옥같아서…… 죄송합니다. 그런데 진심으로 저는 방송이 알차면 알차서 좋고, 가끔 단조로울 때도 그런대로 좋더라고요. 25회 '덕수궁 알고 걷기'는 신나서 녹음한 느낌이 고스란히 담겨 있는데, 애청자분께서 바로 다음 날 덕수궁 방문 인증샷을 올려주셔서 감격의 눈물을 흘렸던 에피소드입니다. 24회 '영향력 여덟 번째'는 독립문예지의 좋은 글들을 소개할 수 있어서 보람 있었어요.

영노자＊맷 코미디를 좋아하시는 분들께는 유니콘 님이 게스트로 나온 편들을 추천하고 싶어요. 페미니즘 이슈에 관심 있는 분이라면 최근에 이랑 님이 나오신 48화를 들으시면 많이 공감되실 거예요.

잘팔문＊세은 35화 1부 '상처엔 문학을 발라주세요'가 가장 기억에 남아요. 최은영 작가의 「미카엘라」라는 단편을 낭독하고 문학이 상처를 치유하는 방법에 대한 이야기를 나눴었는데, 저희 모두가 알 수 없는 희열을 느꼈었어요. 누군가 조심스럽게 '우리 이번 편 좀 잘 나올 거 같지 않아?' 해서 웃음이 터지기도 했었죠.

어남책*K　아무래도 J와 같이 낭독한 에피소드들이 기억에 남아요. 『냉정과 열정 사이』, 『채식주의자』, 『백의 그림자』, 이 세 에피소드들이 기억에 남고 반응도 좋았던 것 같아요. 낭독을 처음 들으시는 분들은 어색하게 느끼시거나 이야기를 잘 따라오지 못할 수도 있어서 시나 에세이를 낭독한 회차를 추천 드립니다.

어남책*J　저도 『백의 그림자』가 가장 기억에 남아요. 묵독할 때와 전혀 다른 느낌이었어요. 낭독하면서 주인공에게 감정이입을 많이 했고, 황정은 작가님 글은 낭독하면 참 아름답구나, 하는 생각을 했어요.

다른 방송도 자주 들으시는 편인가요? 좋아하는 다른 팟캐스트가 있다면 추천해주세요.

세너힘 * 김은지　네, 구독하는 방송은 정주행으로 전편을 듣곤 해요. 독립출판 작가들을 만날 수 있는 '스몰포켓', 술 마시며 시를 읽는 '시시콜콜 시시알콜', '김사인의 시시한 다방', 이 외에도 '송은이&김숙 비밀보장', '워너블GO', '명로진 권진영의 고전읽기' 등을 듣고 있어요.

어남책 * J　처음에는 '이동진의 빨간책방'을 무한 반복해서 들었고, 자기 전에는 낭독 방송 '소라소리'와 '김영하의 책 읽는 시간'을 들었어요. (그런데 낭독 방송은 뒷이야기를 계속 듣고 싶어 잠이 안 오는 단점이 있더군요.) 그 외에도 책 관련 팟캐스트를 많이 들었죠. 다른 낭독 방송의 목소리 톤을 참고하기도 하고요. 요즘은 관심사가 다양해져서 아침에 일어나면 'JTBC 뉴스룸'을 듣고, 역사 팟캐스트 '라이크 역사'도 듣고 있어요.

어남책 * K　저는 영화를 좋아해서 '김혜리의 필름클럽'과 '퇴근길 씨네마'를 자주 들어요.

영노자＊맷 팟캐스트가 일처럼 되다 보니 전처럼 많이 듣지는 못하고 있어요. 최근 챙겨 듣고 있는 방송은 '서늘한 마음썰'이랑 '책, 이게뭐라고' 정도네요. '서늘한 마음썰'은 듣는 것만으로도 힐링이 되는 방송이에요. 여성 청취자들이 좋아하는 방송으로 영노자와 늘 함께 꼽히기도 해서, 거의 영노자의 자매 방송이라고 볼 수 있죠. '책, 이게뭐라고'는 제가 좋아하는 요조 님과 장강명 작가님의 케미도 좋고, 책을 안 읽었지만 읽은 듯한 느낌이 들어서 특히 좋아해요. 저처럼 책 읽기가 귀찮은 게으른 분들께 추천합니다.

잘팔문＊정필 '젊은 시인의 다락방' 추천합니다. 아직도 우리에겐 '시'가 주는 일상의 파장이 크다는 걸 새삼 알게 되는 방송이에요. 그리고 이 책을 함께 쓰고 있는 '세너힘'도 자주 듣고 있습니다.

SNS의 공식 계정을 운영 중이신데, 팟캐스트를 하는 데 있어서 SNS가 도움이 되는 편인가요?

잘팔문 * 은빈 그럼요. 아무래도 팟캐스트에 업로드하는 것만으로는 많은 사람들이 알기 힘들다 보니 SNS가 홍보에 많은 도움이 되는 것 같아요. 그리고 청취자분들과 소통도 활발히 할 수 있어서 정말 좋아요.

어남책 * K 확실히 도움이 됩니다. 청취자분들과 직접 소통도 가능하고, 저희 방송을 몰랐던 분들도 인스타그램을 보고 들어보시는 경우가 종종 있거든요.

영노자 * 맷 아무래도 청취자들과 가깝게 소통할 수 있어서 좋은 것 같아요. 청취자분들도 메일보다 좀 더 가볍게 댓글이나 메시지를 보내실 수 있고요. 행사나 이벤트 홍보에 활용하기에도 좋아요.

세너힘 * 김은지 지금 저희를 응원해주시는 애청자분들 대부분이 SNS로 소통하고 있는 분들입니다. 너무 감사하고, 덕분에 계속할 수 있답니다. 항상 건강하시고 행복하셨으면……. (눈물)

특별히 기억에 남는 청취자나 메일 혹은 댓글이 있나요?

세너힘 * 김은지 'lille3_1017' 님이 가장 먼저 떠오르네요. 저희가 다루는 책을 늘 같이 읽어주시고, 독립출판물도 텀블벅으로 후원해주시고, 진심으로 소통해주시는 분이라 더 열심히 좋은 책 소개해 드려야겠다 다짐하게 된답니다. 또 보라 씨가 동물복지에 관심이 많아서 '한나네 보호소'에서 봉사하시는 'sosin' 님과도 많은 대화를 나누었는데, 저희 방송을 필기(?)까지 하시며 들어주셔서, 늘 감사해요.

어남책 * J 청취자분들이 책을 좋아하시는 분들이다 보니 글솜씨가 뛰어난 분들이 많아요. 한 편의 에세이 같은 후기에 감동받곤 하죠. 또 낭독을 듣고 그 책을 사서 다 읽었다고 하시면 너무 좋아요. 사실 '잘 들었다'는 한마디 후기도 하나하나 특별해요. 책 읽는 즐거움을 함께하는 분들이 계시다는 걸 확인하는 건 늘 행복하니까요.

잘팔문 * 은빈 언젠가 한 분이 '인스턴트 문학' 에피소드를 듣고 인스타그램에 댓글을 남겨주셨어요. 그동안 가

졌던 고정관념을 허물고 다시 생각해보게 됐다고요. 그걸 보고 아, 우리가 헛된 활동을 하는 게 아니구나, 생각했어요.

영노자＊맷 앞에도 썼지만 '영노자'가 '독일언니들'과 코드가 달라서 떠난 분들도 있어요. 특히 페미니즘 이슈를 다룰 때 공감하지 못하는 분들이 많았을 거예요. 그런데 최근에 한 청취자분이 메시지를 주셨는데, 솔직히 처음엔 좀 참고(?) 들었지만 듣다 보니 몰랐던 사실들도 많이 알게 되었고 의식하지 못했던 부분들도 자각하게 되었다고 하셨어요. 덕분에 보는 시각과 이해의 폭이 많이 넓어졌다고요. 제 방송으로 인해서 누군가의 삶에 변화가 생겼다는 사실이 놀랍기도 하고, 약간의 불편함에도 불구하고 팬심으로 계속 들어주셨다는 사실에 정말 감사했어요.

하나같이 청취자 자랑에 눈을 빛내시는 모습이 인상적이에요. 반대로 힘이 빠질 때나 상처를 받을 때는 없나요?

잘팔문*은빈 아무래도 에피소드에 대한 피드백이 없을 때죠. '좋아요'가 안 늘어난다거나, 댓글이 안 달린다거나 하면 지금 우리가 혼잣말을 하고 있는 건가? 생각이 들 때도 많아요.

영노자*맷 가끔씩 저를 내려다보며 평가하는 듯한 댓글이나 메일을 받으면 좀 기분이 상해요. 글을 쓸 때는 읽는 사람 입장도 좀 헤아려줬으면 좋겠어요. 욕만 안 쓴다고 악플이 아닌 건 아닌데 말이에요.

세너힘*김은지 글쎄요, 힘이 빠질 때라……. 아, 저희 나름대로는 도서 분야에서 신기할 정도로 상위권을 유지하다가, 비정기적으로 업로드하게 되면서 순위가 뚝 떨어졌어요. 각자 생업이 있으니 무리할 순 없으니까, 순위에 연연하지 않기로 마음을 비웠어요. 늘 기다려주시는 애청자분들도 계시니까요!

팟캐스트만의 매력이나 장점에 대해서 많이 다뤄졌는데, 반대로 아쉬운 점 또는 개선되었으면 하는 점은 뭐가 있을까요?

영노자 * 맷   아무래도 수익으로 이어지기가 어렵다는 게 약점 아닐까요?

어남책 * K   많은 분들이 듣고 계시다고는 하지만 아직은 모르는 분도 많은 것 같아요. 일단은 팟캐스트라는 플랫폼 자체를 좀 더 알려야 할 것 같아요.

세너힘 * 김은지   플랫폼 안에서 각종 오류가 많고, 해결이 잘 안 되는 경우도 종종 있는 것 같더라고요. 계속 업데이트를 하고 있으니 앞으로 나아지겠죠?

잘팔문 * 은빈   젊은 세대에 대한 접근성이 낮은 것 같아요. 저희 세대가 라디오를 잘 안 듣기 때문이기도 하지만, 1인 미디어 시대의 주역인 젊은 세대가 팟캐스트를 잘 듣지 않는 것은 좀 아쉬워요. 팟빵 외에도 팟캐스트를 접할 수 있는 좋은 플랫폼이 많아졌으면 좋겠어요.

팟캐스트의 수익 모델은 아직 발전 단계라고도 볼 수 있을 것 같은데, 광고나 수익에 대해선 어떤 생각을 갖고 계시나요?

세너힘 * 김은지　팟캐스트를 하는 게 재미있기 때문에, 괜한 스트레스를 받고 싶지 않아서 일단은 수익에 대해 생각하지 않으려 하고 있어요. 순위 1위 방송에서도 투자 대비 손해라고 하시더라고요. 대신 팟캐스트를 통해 다른 일을 많이 할 수 있어서 좋다고도요. 저도 돌아보면 팟캐스트 덕분에 원고 청탁도 받고, 워크숍이나 여러 가지 활동도 할 수 있었던 것 같아요. 감사한 일이죠.

어남책 * K　수익을 생각하고 시작한 것은 아니지만, 광고와 같은 수익 창출이 더 다양한 방식으로 가능해지면 좋겠다는 생각을 해요.

잘팔문 * 은지　저희도 아직까진 팟캐스트를 수익 목적으로 운영하고 있지 않아요. 오히려 멤버들의 사비로 자발적인 열정페이(?)를 지불하며 방송을 운영해온 셈이죠. 좀 더 대중성이 확보된다면 수익 문제에 대해서도 다른 멤버들과 논의해보고 싶어요.

영노자 * **맷**   최근에는 유료로 전환할 수 있게 되었지만, 팟캐스트는 무료 콘텐츠라는 인식이 강하잖아요. 저도 제 팟캐스트를 유료로 만들고 싶지는 않더라고요. 팟빵 오디오 광고를 통해 수익을 좀 얻을 수 있긴 하지만, 큰 수익은 안 나는 걸로 알고 있어요. 그리고 뭔지도 모를 광고가 내 방송에 들어간다고 생각하니 어쩐지 거부감이 들어서요. 대신 광고주로부터 직접 광고를 받는 방식으로 조금씩 수익을 내고 있어요. 광고가 많아지면 좋겠지만 제가 어떻게 할 수 있는 부분은 아닌 듯해요. 하지만 팟캐스트로 인해서 파생되는 다른 일들, 예를 들면 강연이라든지 책 출간 등을 통한 수익은 기대해볼 만한 것 같아요.

팟캐스트 외에 다른 미디어에 도전해볼 마음은 없으세요?

잘팔문 * **은지**　잘팔문은 방송 외에, SNS 계정을 통해 부가 콘텐츠를 제공하기도 해요. 최근에는 유튜브도 시작했는데, 생각보다 반응이 좋아서 유튜브를 활용한 다양한 콘텐츠를 생각 중이랍니다. '젊은 문학 라디오'인 만큼 다양한 미디어와 콘텐츠 제작에 도전하고 싶습니다.

세너힘 * **김은지**　안 그래도 갑자기 보라 씨가 유튜브 얘기를 꺼내서 영상 편집을 배워야 하나, 생각 중입니다. 콘셉트는 책과 먹방! 농담처럼 주고받은 얘기라서 진짜 도전할지는 잘 모르겠네요..

영노자 * **맷**　유튜브를 해보고 싶은 마음은 계속 갖고 있는데 자꾸 미뤄지네요. 새해엔 시작할 수 있겠죠?

어남책 * **J**　팟캐스트가 아닌 다른 미디어로 어남책이나 또 다른 도서 관련 콘텐츠를 제작해보고 싶어요. 그래서 책 읽는 사람들이 더 많아졌으면 좋겠어요. 저희 방송도 더 유명해지고요. (웃음) K를 한번 설득해 봐야겠네요.

팟캐스트를 하는 데 있어서 가장 큰 적은 무엇인가요?

어남책 ＊ J　'저질체력'이요.

영노자 ＊ 맷　게으름? 누가 편집 좀 대신해줬으면…….

잘팔문 ＊ 은지　가장 큰 적은 '팟캐스트가 스케줄이 되었을 때' 같아요. 자기 생각을 꺼내놓는 방송이다 보니, 학업과 아르바이트, 개인적인 고민 등으로 지치고 피곤해져 있으면 녹음도 부담스럽게 느껴질 때가 있어요. 그런 상태로 녹음을 하면 티가 나더라고요. 가끔은 쉬어가고 재정비하는 시간이 필요한 것 같아요.

세너힘 ＊ 김은지　너무 잘 하려다가 즐겁게 할 수 있는 걸 힘들게 하게 될 수도 있다.

그럼에도 '팟캐스터'로서 행복한 순간은 언제인가요?

잘팔문*은지 누군가가 잘 듣고 있다고, 재밌었다고 말해주는 순간이 가장 행복합니다. 이건 모든 팟캐스터 분들이 공감하시지 않을까 싶어요.

영노자*맷 많은 분들이 들어주시고 재밌었다, 유익했다 피드백을 남겨주시면 다음 주에도 좋은 방송으로 찾아뵈어야지, 하는 생각이 절로 들어요.

어남책*J 전 방송 듣고 책을 구매했다는 피드백을 들을 때 왜 이렇게 행복하죠? 책을 많이 팔고 싶어요. 영업 본능이 있나 봐요.

세너힘*김은지 새로운 책을 찾아 읽고, 녹음을 하는 도중에 문득 '이 세상엔 내가 몰랐던 많은 재미있는 일들이 있구나'라는 생각이 들 때, 팟캐스트를 하길 정말 잘했다, 는 생각이 듭니다. 그리고 팟캐스트를 통해 좋은 친구를 만나고, 여러 가지 창조적인 작업을 함께할 수 있어서 행복합니다.

마지막으로, 미래의 팟캐스터들에게 하고 싶은 말이 있다면 해주세요.

영노자 * 맷 하고 싶다는 생각이 들었을 때 바로 시작하는 게 중요한 거 같아요. 이것저것 갖추고 해야지 하고 미루다 보면 끝이 없거든요. 처음부터 완벽한 방송은 없으니까 부담 갖지 말고 시작해보라고 얘기해주고 싶어요.

잘팔문 * 은지 하고 싶은 이야기가 있다면 무엇이든 꺼내보세요. 전문적이지 않더라도요. 팟캐스트는 하고 싶은 말을 편히 꺼내고 자기 취향을 공유하는 무대니까요. 문학 이야기를 하고 싶다는 마음 하나로 모인 '잘 팔리는 문학회' 팟캐스트도 어느덧 2년 넘게 달리는 중이랍니다.

세너힘 * 김은지 저희 방송 꼭 들어주세요! (웃음)

팟캐스터

1판 1쇄 인쇄 2019년 1월 16일
1판 1쇄 발행 2019년 1월 29일

지은이 영혼의 노숙자 · 세상엔 좋은 책이 너무나 많다 그래서 힘들다…
　　　　어느 남녀의 책읽기 · 잘 팔리는 문학회
펴낸이 김영곤
펴낸곳 아르테

문학사업본부 본부장 원미선
문학콘텐츠팀 이정미 허문선
문학마케팅팀 정유선 임동렬 조윤선 배한진
문학영업팀 권장규 오서영
홍보팀장 이혜연
제작팀장 이영민

출판등록 2000년 5월 6일 제406-2003-061호
주소 (우 10881) 경기도 파주시 회동길 201(문발동)
대표전화 031-955-2100　팩스 031-955-2151

ISBN 978-89-509-7922-5 (04810)
　　　978-89-509-7924-9 세트